101 Dicas do Feng Shui Para o Seu Lar

Richard Webster

101 Dicas do Feng Shui Para o Seu Lar

Tradução
DALVA AGNE LYNCH

EDITORA PENSAMENTO
São Paulo

Título do original:
101 Feng Shui Tips for the Home

Publicado originalmente por Llewellyn Publications.
St. Paul, MN 55164-0383, USA.

Ilustrações internas: Carla Shale e Jeannie Ferguson.

O primeiro número à esquerda indica a edição, ou reedição, desta obra. A primeira dezena à direita indica o ano em que esta edição, ou reedição foi publicada.

Edição	Ano
7-8-9-10-11-12-13-14	06-07-08-09-10

Direitos de tradução para a língua portuguesa
adquiridos com exclusividade pela
EDITORA PENSAMENTO-CULTRIX LTDA.
Rua Dr. Mário Vicente, 368 – 04270-000 – São Paulo, SP
Fone: 6166-9000 – Fax: 6166-9008
E-mail: pensamento@cultrix.com.br
http://www.pensamento-cultrix.com.br
que se reserva a propriedade literária desta tradução.

Impresso em nossas oficinas gráficas.

Dedicatória

Para Chuck e Betsy Hickock

Agradecimentos

Gostaria de expressar meus sinceros agradecimentos
a T'ai Lau, por sua ajuda e seus conselhos

Sumário

Apresentação

Todos nós, naturalmente, gostaríamos de ter uma vida feliz e bem-sucedida, e tudo o que possa nos ajudar a atingir essa meta vale a pena ser examinado.

– Richard Webster

Durante milhares de anos, o povo do Oriente utilizou o feng shui tanto para aprimorar o ambiente doméstico e a vida da família quanto para viver em harmonia com a terra. Usando essas técnicas milenares, você pode fazer modificações sutis e baratas no seu lar, de modo a transformar literalmente a sua vida. Você poderá *sentir* a diferença que o feng shui proporciona: desde uma satisfação profunda até o sucesso financeiro e romântico.

Se você está procurando uma casa, aprenda o que precisa buscar, em matéria de arquitetura: térrea ou sobrado, escadas, localização da porta de entrada e muito mais. Se você pretende reformar a casa que já possui, descubra como a arquitetura do imóvel talvez esteja criando energias negativas, e aprenda maneiras simples de remediar a situação, sem os custos de uma nova decoração ou de uma reforma. Coloque o feng shui em prática no seu lar hoje mesmo, e descubra o harmonioso futuro que está à sua espera.

Introdução

Primeiro vem o destino, depois vem a sorte. Em terceiro lugar vem o feng shui, ao qual se segue a filantropia e a educação.

– antigo ditado chinês

Feng shui significa, literalmente, "vento e água". Há mais ou menos uns cinco mil anos, os antigos chineses acreditavam que, se você construísse sua casa no lugar certo, teria uma vida de contentamento, felicidade e abundância. Todos nós, naturalmente, gostaríamos de levar uma vida feliz e bem-sucedida, e tudo o que possa nos ajudar a atingir esse alvo vale a pena ser examinado.

O termo "feng shui" é comparativamente moderno. Os caracteres chineses que o compõem são *Ham* e *Yu*. "Ham" significa receber energia dos céus, e "Yu" liga a terra com os outros corpos celestes.[1] Em conseqüência disso, o feng shui começou como uma tentativa de ligar a terra e o céu.

Ninguém sabe exatamente quando a prática do feng shui teve início. Na China, existe uma história bem interessante sobre a origem dele, que pode ser verdadeira ou não. Wu, o primeiro dos cinco imperadores lendários da pré-história chinesa, dedicava-se ao trabalho de irrigação no rio Amarelo. Um dia, ele e seus trabalhadores viram uma enorme tartaruga rastejar para fora do rio. Isso era considerado um sinal de sorte, uma vez que, naquela época, acreditava-se que deuses habitavam o casco das tartarugas. Essa tartaruga, entretanto, era especialmente de bom augúrio, porque as marcas de seu casco formavam um perfeito quadrado mágico. Wu reuniu todos os seus sábios e eles estudaram, durante muito tempo, esse estranho fenômeno. No fim, esse quadrado mágico se tornaria a base do feng shui, da Astrologia e Numerologia chinesas e do I Ching.

Durante centenas de anos, por meio de um processo de observação e meditação, o feng shui foi evoluindo. Nos primeiros dois mil anos e meio de sua história, o feng shui era principalmente uma avaliação geográfica da paisagem. Isso ficou conhecido como a **Escola da Forma** do feng shui. Depois da invenção da bússola, o feng shui se tornou muito mais personalizado, mais ou menos há uns dois mil e trezentos anos, quando então formou-se a **Escola da Bússola**. Esse importante avanço permitiu que os praticantes de feng shui escolhessem uma localização favorável para as casas das pessoas, com base na data do nascimento delas. Atualmente, há muitas variedades de feng shui, mas todas elas ainda podem ser categorizadas como sendo parte ou da Escola da Forma ou da Escola da Bússola.

Hoje em dia, estamos muito mais conscientes dos efeitos que o meio ambiente exerce sobre nós. Faz sentido usar o feng shui para melhorar o ambiente do lar, já que essa arte nos permite, a nós e aos nossos entes queridos, desfrutar de mais harmonia, equilíbrio e sucesso na vida. Ao estudar este livro e colocar em prática suas idéias, você e seus entes queridos estarão recebendo todos esses benefícios.

Capítulo I

O Feng Shui no Lar

Nosso lar deveria ser muito mais do que apenas um lugar onde descansamos à noite. A palavra lar conjura, em nossa mente, imagens muito mais agradáveis do que a palavra *casa* ou *apartamento*. Não é boa a volta ao lar, ao chegar do trabalho? Você não começa a ter essa sensação, quando entra em sua rua ou na garagem? Caso você sinta isso, seu lar já possui bastante feng shui.

No momento em que nos mudamos para um novo lar, nós o investimos com a nossa personalidade. Cada móvel tem uma história. Ornamentos e quadros refletem nosso gosto e atitudes. Os livros nas prateleiras revelam nossos interesses. Fotografias emolduradas nos fazem lembrar das pessoas que amamos e também contam aos outros muito da nossa bagagem e das pessoas que amamos. Mesmo quando nos mudamos para um lar temporário, por apenas algumas semanas, tentamos fazer com que ele fique o mais agradável possível, colocando ali objetos pessoais que nos agradam.

Em conseqüência disso, ao fazer o seu lar o mais harmonioso e confortável possível, a maioria das pessoas intuitivamente utiliza o feng shui todo o tempo, sem perceber. Tenho certeza de que você já passou pela experiência de entrar num aposento e sentir, subconscientemente, que tudo estava no lugar certo. E sem dúvida você também já teve a experiência de entrar num aposento e sentir que algo estava errado. No primeiro caso, o feng shui do aposento era bom. Na maioria das vezes, o segundo aposento também poderia ter um bom feng shui, com apenas algumas simples alterações.

Ch'i

Os antigos chineses acreditavam que um dragão verde ou um tigre branco viviam sob cada colina ou montanha. O local onde esses dois animais simbolicamente se encontravam era considerado o local perfeito para um lar. Eles também acreditavam que o dragão criava **ch'i** com o seu sopro. Na verdade, muitas vezes refere-se ao ch'i como "o sopro do dragão".

O ch'i é a força universal da vida. Ele se encontra próximo a calmos fluxos de água, e cria-se toda vez em que algo é feito com perfeição. Um compositor, criando uma linda melodia, está criando ch'i.

Para que vivamos bem, precisamos estimular a entrada da maior quantidade possível de ch'i em nossa casa.

O ch'i pode ser tanto positivo quanto negativo. Por exemplo, água em movimento tranqüilo cria um ch'i positivo, enquanto que água estagnada cria um ch'i negativo. Precisamos da maior quantidade de ch'i possível, mas, como é natural, precisamos eliminar qualquer ch'i negativo.

O ch'i precisa ser cultivado e acumulado. Ele se espalha com facilidade e se dissipa com ventos fortes, ou com água que se movimenta com rapidez. É por isso que precisamos de brisas suaves e riachos sinuosos próximos ao nosso lar. Ambos se combinam para criar um ch'i positivo e bom.

Yin e Yang

O ch'i é composto tanto de **yin** quanto de **yang**. Yin e yang são os dois opostos do universo. Dia e noite, alto e baixo, frente e costas, macho e fêmea, são todos exemplos de yin e yang. Um não pode existir sem o outro. Sem a noite, não poderia existir o dia, e o preto não poderia existir sem o branco. Os antigos nunca tentaram definir o yin ou o yang, mas gostavam de colecionar listas de opostos.

Yin é representado pelo preto, e yang pelo branco. O conceito teve início muitos milhares de anos atrás, quando os antigos chineses chamavam as encostas do lado norte das montanhas, mergulhadas na sombra, de yin, e as encostas do lado sul, ensolaradas, de yang.

Como resultado, os antigos taoístas utilizavam o conhecido símbolo do yin e yang para representar a inteireza. Esse símbolo, que se assemelha a dois girinos em círculo, simbo-

Figura 1A

Figura 1B

liza o universo (Figura A). Um dos girinos é preto com um ponto branco; o outro é branco com um ponto preto. Os pontos indicam que, dentro de cada yin, há uma certa quantidade de yang, e dentro de cada yang, há um certo nível de yin.

Tudo que há no universo se compõe de energias yin e yang, em constante interação umas com as outras.

No nosso meio ambiente, precisamos do equilíbrio entre yin e yang. Se a região onde moramos é completamente plana, diz-se que é yin demais. Se o terreno é muito cheio de altos e baixos, é considerado muito yang. Há milhares de anos, as colinas representavam as energias yang. Hoje em dia, geralmente olhamos para as casas da vizinhança para saber qual a energia que prevalece na região em que moramos. É interessante refletir a respeito do fato de que os pagodes (Figura 1B) foram criados para produzir energia yang. Hoje em dia, são usados pagodes em miniatura como ornamentos decorativos e para simbolizar as energias yang.

Se a sua propriedade é muito yin, você pode remediar isso plantando arbustos e árvores, ou talvez colocando pedras ou uma cobertura no jardim. É importante pensar no futuro. Árvores pequenas muitas vezes se transformam em árvores grandes, que alteram o feng shui do terreno ao seu redor.

Se o seu terreno é muito yang, você talvez possa aplainar parte da propriedade, a fim de criar um equilíbrio entre a energia yin e a yang.

Até mesmo a casa se divide em áreas yin e yang. A parte da frente da casa, usada para receber pessoas na propriedade, é a parte da saída, yang. Quanto mais para dentro da casa você entrar, mais yin, ou privativo, se torna o aposento. É por esse motivo que os quartos de dormir geralmente ficam melhor quando situados bem longe da porta de entrada.

Os Cinco Elementos

No feng shui, geralmente utilizamos os cinco elementos tradicionais da Astrologia Chinesa: madeira, fogo, terra, metal e água. Os chineses acreditam que tudo no universo pertence a um desses cinco elementos. Eles representam os cinco modos diferentes pelos quais a energia ch'i se manifesta. O ano de seu nascimento determina qual desses elementos é o mais importante para você. Elementos relacionados a cada ano de nascimento estão na lista do Apêndice 1. Na verdade, caso seu horóscopo chinês já tenha sido preparado, você verá que já tem, em sua constituição, a maioria desses elementos, ou mesmo todos. Um bom astrólogo poderia equilibrar e interpretar o peso de cada um desses elementos em seu horóscopo.

Os cinco elementos seguem uma certa progressão. A madeira queima e cria o fogo. Depois que o fogo se apaga, o resultado é a terra. Da terra se obtém metal (ouro, prata, etc.). O metal se liquefaz, o que, simbolicamente, produz a água. Finalmente, a água nutre aquilo que cria a madeira (plantas). Conseqüentemente, temos um círculo de energia que se movimenta ininterruptamente (Figura 1C).

Os cinco elementos também estão relacionados com diferentes formas. O fogo é triangular, a terra é quadrada, o metal é redondo, a água é horizontal e curvilínea e a madeira é retangular e vertical. Os arquitetos lançam mão disso quando planejam um prédio para um propósito específico. Um prédio que servirá para sediar uma empresa ligada a investimentos financeiros seria, muitas vezes, construído na forma do metal.

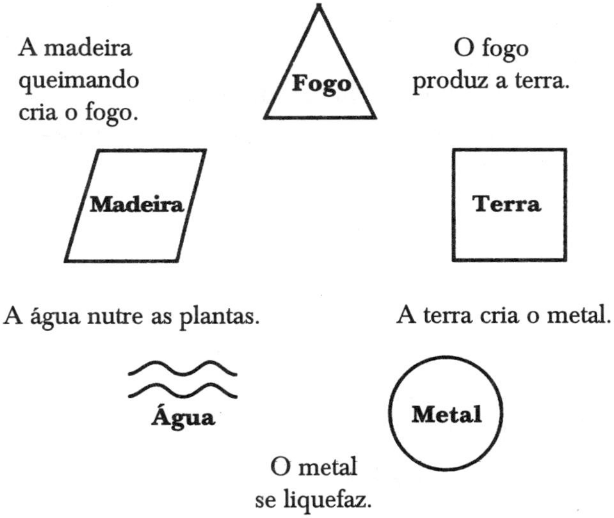

Figura 1C

Madeira

Cor: Verde
Estação: Primavera
Direção: Leste (Oriente)
Forma: Retangular e vertical
Animal: Dragão
Virtude: Benevolência
Qualidade: Lealdade

A madeira é criativa. Caso seja esse o seu elemento predominante, você precisa se expressar de algum modo, de preferência com criatividade. A madeira acalenta os outros e representa o humanitarismo, fortes laços familiares e novas idéias.

Plantas vivas, flores frescas e objetos verdes representam o elemento madeira.

O edifício do Banco da China, em Hong Kong, é um exemplo espetacular e controvertido de um prédio na forma do elemento madeira.

Fogo

Cor:	Vermelho
Estação:	Verão
Direção:	Sul
Forma:	Triangular
Animal:	Fênix
Virtude:	Decoro
Qualidade:	Razão e lógica

O fogo produz entusiasmo e energia. Conseqüentemente, as pessoas de fogo são líderes natos. Esse elemento está associado ao sucesso e à sorte. Entretanto, o fogo não apenas aquece e revigora; ele também pode queimar. Pessoas com a quantidade correta de fogo são justas, cheias de consideração e respeitáveis. Pessoas com fogo em demasia são críticas, deslocadas e cheias de ressentimento com o sucesso alheio.

Castiçais, porta-incensos e objetos vermelhos representam o elemento fogo.

A pirâmide que compõe a entrada do Louvre é um exemplo excelente de uma estrutura em forma de fogo. Está numa posição marcante com relação ao próprio Louvre, que é um prédio em forma de água. Juntos, eles criam um poder e uma energia enormes, que atraem turistas do mundo inteiro.

Terra

Cor: Amarelo
Estação: Veranico
Direção: Centro
Forma: Quadrado
Animal: Boi
Virtude: Fé
Qualidade: Honestidade

A terra proporciona estabilidade, confiança e bom senso. É paciente, honesta, leal, metódica e equilibrada. Pessoas de terra são compreensivas e responsáveis. Esse elemento, entretanto, pode também ser excessivamente exigente e incapaz de fazer mudanças e progredir.

Objetos amarelos ou feitos de terracota ou cerâmica e vasos servem para representar o elemento terra.

A maioria dos lares tem um formato quadrado, o que significa que são descritos como lares terra.

Metal

Cor: Branca
Estação: Outono
Direção: Oeste (Ocidente)
Forma: Redondo
Animal: Tigre
Virtude: Justiça
Qualidade: Clareza de pensamento

O metal é o elemento do sucesso financeiro e nos negócios. Representa o pensamento claro e a visão correta e moral. O metal, entretanto, pode também indicar uma faca ou espada, mostrando que também pode ser violento. Isso talvez se expresse por explosões emocionais ou pela falta de concentração.

Mensageiros dos ventos e qualquer coisa feita de metal representam esse elemento.

A redoma sobre o Taj Mahal é um lindo exemplo de um edifício em forma de metal.

Água

Cor:	Preto e azul
Estação:	Inverno
Direção:	Norte
Forma:	Horizontal e curvilínea
Animal:	Tartaruga
Virtude:	Sabedoria
Qualidade:	Persistência

A água simboliza conhecimento, sabedoria, comunicação e viagens. A água pode ser calma (chuvisco) ou violenta (tempestade). Esse elemento é essencial para a vida sobre a terra, nutre todas as coisas vivas. A água pode, entretanto, desbastar a mais dura das pedras.

Um aquário, uma fonte decorativa ou qualquer coisa que seja preta, azul ou que contenha água representam o elemento água.

Os prédios do Parlamento, em Londres, são um bom exemplo de construção do tipo água.

Os Shars

Os **shars** são, muitas vezes, conhecidos como "flechas envenenadas". Eles são criados por linhas retas ou por ângulos agudos. Uma rua em linha reta que siga na direção da sua casa está criando um shar (Figura 1D). Um caminho que vai até sua porta de entrada, caso seja em linha reta, também pode causar um shar.

Casas vizinhas também podem estar criando um shar. Se a casa ao lado está num ângulo de 45 graus com relação à sua casa, é bem possível que ela esteja lhe enviando um shar (Figura 1E). Telhados também podem estar enviando shars em sua direção.

Figura 1D

Felizmente, o feng shui tem solução para cada coisa negativa, inclusive shars. Caso o shar não seja visível, ele deixa de existir. Conseqüentemente, pode-se utilizar arbustos, uma cerca ou uma árvore para esconder o shar e eliminá-lo com eficiência.

Pode-se também usar espelhos para solucionar o problema. O espelho perfeito é circular, mais ou menos de uma ou duas polegadas de diâmetro, colocado numa moldura octogonal. Ao redor do espelho, estão os **oito trigramas** do I Ching. (Vamos falar sobre os trigramas no capítulo seguinte.) Os trigramas são importantes, já que fazem com que o espelho fique ativo, ao invés de passivo. Esses espelhos ativos são conhecidos como **espelhos ba-guá**.

Coloca-se o espelho do lado da casa, apontando diretamente para o shar. Simbolicamente, ele reflete o shar de volta para onde ele veio.

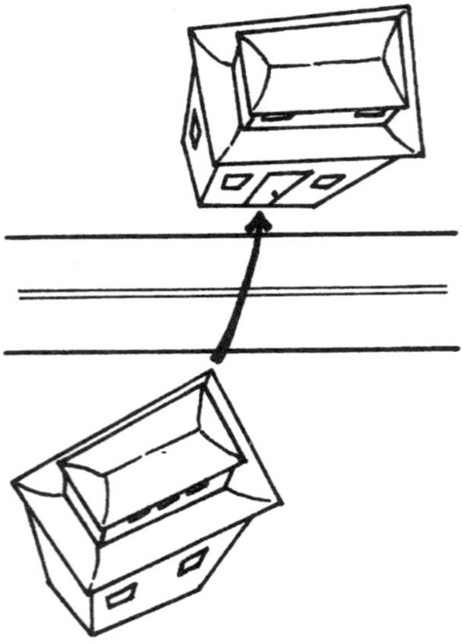

Figura 1E

Os habitantes de Hong Kong, muitas vezes, fazem "guerras de espelhos". Alguém vê um shar vindo em sua direção e pendura um espelho ba-guá, para enviá-lo de volta. O vizinho nota o espelho, e pendura o seu próprio. Dali a pouco, cada um deles tem uma porção de espelhos pendurados, enviando shars de um lado para outro.

Dicas do Feng Shui

1. Use sua intuição para dispor os móveis e ornamentos. Você fará, quase sempre, a escolha correta com respeito ao feng shui.

2. Procure colocar na sua casa uma representação de cada um dos cinco elementos. Juntos, eles simbolizam a inteireza, e ajudam a criar uma sensação de harmonia e de conforto.

3. Seus móveis devem representar tanto o yin (curvas) quanto o yang (linhas retas). A combinação de curvas suaves e linhas retas ajuda a criar equilíbrio.

4. O espelho serve para refletir shars e também pessoas e vistas externas agradáveis. Ele deve ser mantido sempre limpo, a fim de ajudar o ch'i a fluir livremente.

5. Os lustres são um método maravilhoso de atrair ch'i para o seu lar. As peças de cristal atraem o ch'i e refletem-no de volta, em todas as direções.

6. Cristais e objetos brilhantes também refletem a energia ch'i. Mantenha todas as superfícies refletoras bem limpas, para estimular o ch'i.

7. Assegure-se de que o seu lar esteja sempre em boas condições. Conserve a pintura, conserte todas as goteiras e troque todas as lâmpadas queimadas logo que possível. Mantenha as janelas limpas e troque qualquer vidraça partida ou quebrada. Isso porque a saúde do seu lar está diretamente relacionada com você e com a sua própria saúde.

Capítulo 2

Avaliação do Seu Lar

Neste capítulo, vamos dar uma olhada em dois métodos para avaliar o ambiente doméstico. O primeiro é conhecido como **Aspirações do Ba-guá**. Esse vem a ser um método simples e prático, que não requer bússola. Por ser de fácil execução, logo você vai passar a praticá-lo de uma maneira automática, cada vez em que entrar na casa de alguém. O segundo método, conhecido como as **Nove Estrelas**, é mais complicado, e requer uma bússola. Para ser bom nesse método, é também necessário que se tenha prática, mas você verá que ele é bastante útil, e o tempo e energia que dedicar a eles valerão a pena. Na prática, eu utilizo ambos os métodos.

O Formato da Sua Casa

No feng shui, a casa quadrada ou oblonga é melhor do que a casa de formatos diferentes. Por exemplo, uma casa em forma de L simboliza um cutelo de açougueiro, o que não é nem um pouco desejável. Felizmente, existem soluções para todos os formatos desfavoráveis. A solução para uma casa em forma de L é colocar um poste de luz no jardim, a fim de completar simbolicamente o retângulo (Figura 2A). Outras soluções incluem plantar arbustos ou construir um muro baixo, para completar simbolicamente a casa.

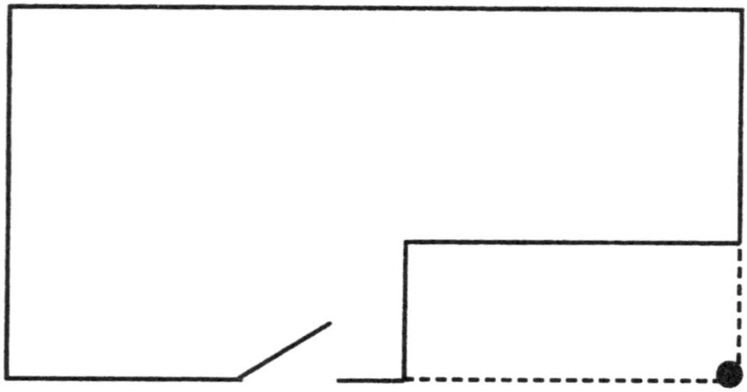

Figura 2A

As Aspirações do Ba-guá

O ba-guá, de forma hexagonal, vem a ser um símbolo da cultura chinesa. Cada um dos seus lados representa uma direção e uma das importantes áreas da vida. O ba-guá pode ser colocado sobre a planta de sua casa ou sobre um único aposento, e pode até mesmo ser utilizado em algo tão pequeno quanto uma escrivaninha (Figura 2B).

Por conveniência, o ba-guá geralmente é mostrado dentro de um quadrado dividido em nove partes. Caso sua casa seja quadrada, ou retangular, o ba-guá pode ser colocado facilmente sobre a planta (Figura 2C). Caso tenha um formato diferente, talvez ele também cubra parte do jardim. A menos que você solucione o problema, isso indica que sua

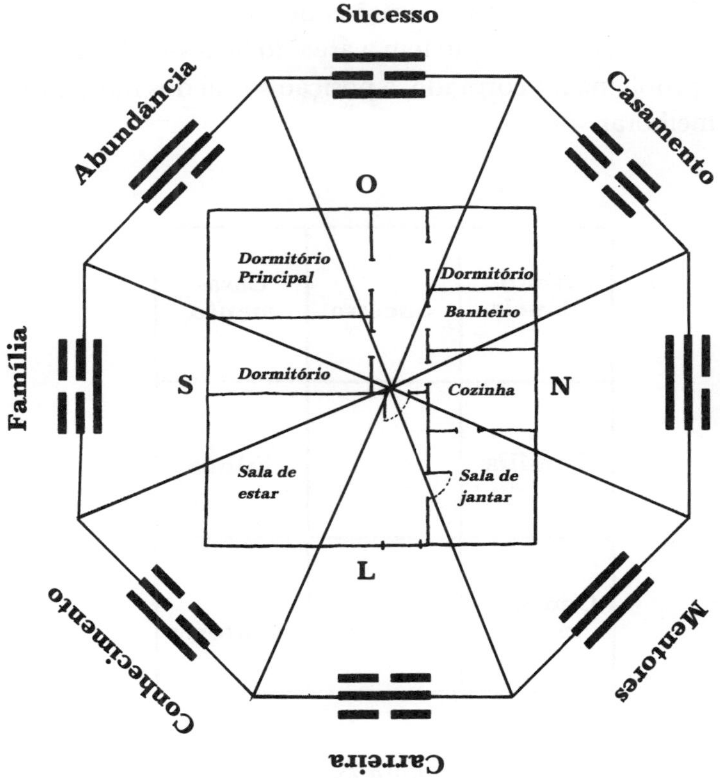
Sucesso
Casamento
Filhos
Mentores
Carreira
Conhecimento
Família
Abundância
O
S
N
L
Dormitório Principal
Dormitório
Banheiro
Dormitório
Cozinha
Sala de estar
Sala de jantar

Figura 2B

vida não está bem equilibrada. A Figura 2D mostra uma casa sem a área da Abundância. (Note que o ba-guá foi "esticado" para se ajustar ao formato retangular da casa.) Até que se resolva o problema, as pessoas que moram nessa casa deverão encontrar restrições nessa área. A Figura 2E mostra uma casa que não tem a área do Sucesso. Assim que esse problema for corrigido, a posição social dos moradores irá melhorar.

Abundância	**Sucesso**	**Casamento**
Família		**Filhos**
Conhecimento	**Carreira**	**Mentores**

Figura 2C

Lembre-se, entretanto, de que mesmo que uma parte da casa não esteja coberta pelo ba-guá, você não está completamente destituído desse aspecto, já que o ba-guá também pode ser colocado sobre cada um dos aposentos da casa.

O lado do ba-guá que cobre as áreas do Conhecimento, da Carreira e dos Mentores, é colocado no lado da casa onde está a porta da frente. No feng shui, a porta da frente é a que você usa com mais freqüência ou sua porta principal. Isso quer dizer que, se você entra pela porta e caminha na diagonal até o canto esquerdo, você se encontrará na área da Abundância do seu lar.

Cada área do seu lar representa uma das oito áreas da vida.

Abundância

A área da Abundância governa o dinheiro, mas também está relacionada com qualquer coisa que torne sua vida mais rica. Se você precisar de mais dinheiro, pode ativar essa área do lar, estimulando a entrada de mais ch'i nesse local. Há muitas maneiras de se fazer isso. Você pode aumentar a quantidade de luz nessa parte da casa. Um espelho, um lustre ou cristais suspensos estimulariam um pouco mais o ch'i. Como a água, no feng shui, significa prosperidade, um aquário ou uma pequena fonte serviriam para ativar essa área. Objetos de metal também poderiam beneficiar o local. No Oriente, é comum dependurar moedas na parede, para servirem como uma afirmação silenciosa que estimule o aumento de dinheiro. Um amigo meu teve sua renda bastante aumentada desde que colocou um lindo serviço de chá de prata na área da Abundância de sua casa.

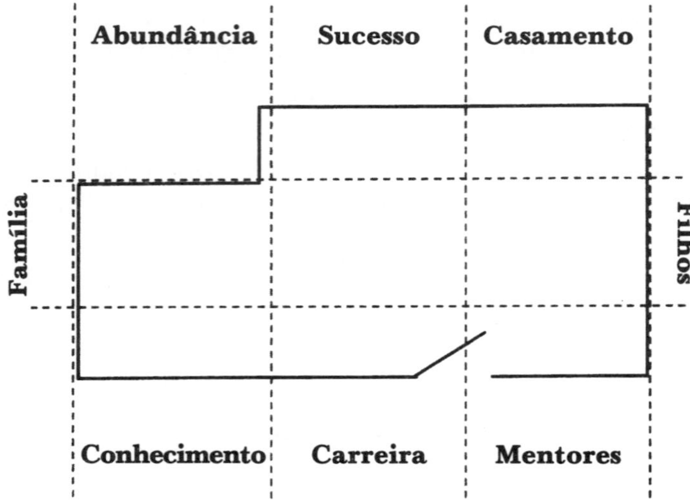

Figura 2D

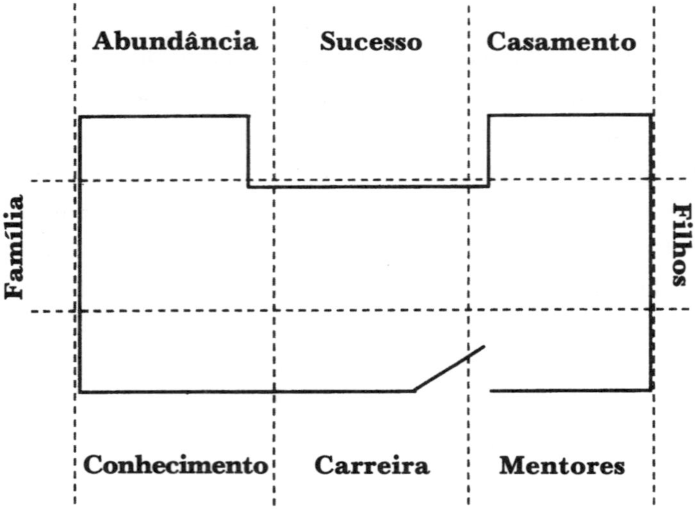

Figura 2E

Sucesso

Ao lado da Abundância está a área do Sucesso, que representa sua posição social na comunidade. Se você quiser se tornar mais conhecido na comunidade em que vive, precisa ativar essa área. Ela também representa quem você é, na realidade. Todos nós temos metas e sonhos. Você pode encorajar a ambos expondo, nessa parte da casa, objetos que o inspirem à ação. Estimule o fluxo de ch'i, é claro, aumentando a luz nessa parte da casa. Você também pode expor troféus, diplomas e fotos suas, para salientar as qualidades que deseja. Poderá também expor objetos que lhe pareçam atrativos. Prefira objetos da melhor qualidade que puder. Um espelho redondo pode ajudar bastante na área de Sucesso.

Casamento

A área do Casamento está especificamente relacionada com os relacionamentos mais próximos. Isso geralmente significa um relacionamento afetivo; mas você pode ativar essa área para estimular também relacionamentos profissionais. Se você estiver procurando um novo parceiro, ou quer melhorar um relacionamento que já tenha, precisa ativar essa área em seu lar. Aumente o ch'i, aumentando a quantidade de luz nessa parte da casa. Disponha sobre os móveis fotos de casamento e outros objetos que você considera românticos. Uma pintura ou foto de dois namorados caminhando de mãos dadas pode fazer maravilhas nessa parte de sua vida. Uma conhecida minha colocou dois castiçais nesse local do seu lar. Depois de ficar sozinha por oito anos, ela encontrou, em menos de dois anos, um novo companheiro. Ela ainda acende as velas a cada noite, para manter acesa a chama do amor.

Família

A área da Família significa família no sentido mais amplo da palavra. Inclui todas as pessoas de que você gosta ou ama. Esse é um bom local para expor fotos da família, sapatinhos de bebê banhados em bronze e diplomas da família. Coisas herdadas, como móveis antigos ou uma Bíblia, servem para estimular essa área, e contribuem para um sentimento de continuidade. É importante, porém, que esses objetos herdados sejam atraentes para você. É mau feng shui expor objetos de que você não gosta. A área da Família está também relacionada com a saúde. Se você ou alguém a quem ama está doente, convém ativar essa área por meio de cristais ou de mais iluminação.

Filhos

A área dos Filhos está relacionada principalmente com seus filhos, mas também inclui a criatividade. Se você quer ter filhos, ou está tendo problemas com os que já tem, deveria ativar essa área. Esse também é um bom local para expor fotos dos filhos, e os trabalhos manuais que eles fizeram. Ali você também pode guardar brinquedos e outros objetos especiais de seus filhos. E é também uma boa área para executar um trabalho criativo. Uma escrivaninha colocada nesse local pode transformá-lo num excelente local de trabalho, em qualquer área de interesse. Um artista que conheço guarda o seu sistema de som nessa parte da casa, ainda que ele trabalhe na área do Sucesso. Ele disse que o som da música, vindo da área dos Filhos, aumenta sua criatividade.

Conhecimento

A área do Conhecimento está relacionada com a espiritualidade e com o aprendizado. É um bom local para colocar estantes de livros e para se fazer um escritório. Ela deve ser um lugar agradável, caso você ou outra pessoa de sua família esteja se dedicando a algum tipo de estudo. Um quadro com paisagens montanhosas, com um rio ou cascata, se colocado nessa área, poderia simbolizar o potencial ilimitado que você tem. Objetos de vidro, especialmente cristais, podem servir para aproximá-lo do seu eu espiritual.

Carreira

A área da Carreira é um bom local para montar um escritório. Se você está tentando progredir na carreira, essa área deve ser ativada. É um bom local para colocar o aparelho de fax, o computador ou qualquer outra coisa relacionada com sua vida profissional. Você pode ativar essa área colocando um espelho, um mensageiro dos ventos e um abajur bonito.

No Oriente, é comum pendurar quadros com citações, escritas numa bela caligrafia, nas paredes. Essas citações parecem obras de arte, e fazem com que os moradores se lembrem de onde querem chegar em sua carreira. Conheço um homem que não queria pendurar citações na parede; em vez disso, tem um álbum de fotografias nesse local da casa. No álbum, ele colocou fotos de onde quer chegar em sua carreira. Ele afirma que as diversas promoções que teve na carreira devem-se a esse álbum.

Mentores

A área dos Mentores está relacionada com as pessoas que podem ajudar você. Se você quer atrair alguém assim na sua vida, pendure ali um cristal para ativar essa área. Para muitas pessoas, os mentores estão relacionados com a ajuda espiritual. Por isso, esse é um bom lugar para se colocar qualquer coisa que esteja relacionada com sua fé ou filosofia de vida. Essa parte da casa também está ligada a viagens. Se você sonha em viajar, especialmente para além-mar, ative essa área.

Essas áreas se estendem indefinidamente, para além da casa. Se você quer ficar famoso, deve se concentrar na direção em que está a área do Sucesso. Do mesmo modo, a melhor direção para uma escola ou universidade é a direção do local da área do Conhecimento. Se está tentando encontrar um novo relacionamento, a melhor direção é a do local do Casamento.

Entretanto, podem surgir confusões. Você pode ser feliz no seu trabalho e ter boas esperanças para o futuro, mas o lugar onde trabalha talvez não esteja na direção indicada pela área da Carreira. Nesse caso, você deveria sair para o trabalho, de manhã, dirigindo-se por mais ou menos uns 500 metros na direção da Carreira, e daí voltar e ir para o trabalho. Isso significa que você, simbolicamente, está indo na direção da Carreira.

Conheço uma pessoa que tem a sorte de morar num apartamento de frente para o mar. Ela me disse, um ano atrás: "Não consigo encontrar um bom relacionamento. Minha direção do Casamento fica do outro lado do oceano!"

Mas não se trata disso. Eu lhe disse para caminhar até a praia, voltar e ir para onde quisesse. Isso significaria que ele simbolicamente começou a buscar na direção certa. Por acaso, depois de seis meses fazendo isso, ele encontrou alguém, de quem está noivo atualmente. Foi ele quem me contou: "Eu estava quase desistindo. Parecia tão tolo ir até a praia todas as manhãs, mas no fim isso se transformou num hábito. Fico feliz por ter persistido!"

As Quinquilharias

No feng shui, não se deve juntar quinquilharias em casa. Temos o hábito de colecionar e acumular objetos que não queremos nem precisamos. Uma amiga minha não consegue deixar passar nada que pareça barato ou seja de graça. Em conseqüência, a casa dela é cheia de coisas de que ela não precisa. Uma conhecida minha finalmente vendeu um móvel velho que ela e o marido haviam ganhado quando se casaram. Ela afirma: "Eu sempre odiei aquele móvel! Era grande e feio, mas não havia custado nada... Nossa casa parece bem melhor agora que ele se foi."

Quinquilharia pode ser qualquer coisa que não é mais necessária. É aconselhável livrar-se do velho, do que está fora de moda e do que é indesejável, para dar lugar a algo novo e desejável. Minha mulher e eu, de tempos em tempos, fazemos uma faxina em casa e jogamos fora tudo o que não queremos mais. Ainda que às vezes eu sinta vontade de guardar coisas, sinto uma tremenda sensação de alívio cada vez que fazemos isso.

Quinquilharias, em qualquer uma das oito áreas do baguá, criam problemas e obstáculos. Por exemplo, se a área da Abundância de seu lar está cheia de quinquilharias, você talvez tenha uma sensação de negativismo e confusão com relação ao dinheiro. Será difícil ganhar dinheiro, até que você se livre de todas essas quinquilharias.

Quinquilharias na área do Sucesso podem indicar que talvez você tenha dúvidas, e esteja confuso, a respeito de sua posição social na comunidade.

Quinquilharias na área do Casamento indicam a possibilidade de problemas de relacionamento. Seu relacionamento, no mínimo, não está indo da maneira como você gostaria que estivesse.

Quinquilharias na área da Família podem levar a discórdias familiares e à vontade, por parte dos membros da família, de fazer coisas sozinhos, e não junto com a família.

Quinquilharias na área dos Filhos criam preocupação e incerteza. Podem afetar a comunicação entre pais e filhos.

Quinquilharias na área do Conhecimento fazem com que aprender seja uma tarefa dura, além de ser difícil memorizar o que se aprendeu.

Quinquilharias na área da Carreira indicam incerteza a respeito da carreira escolhida.

Quinquilharias na área dos Mentores tornam difícil atrair a pessoa certa para você. Você terá dificuldades para atrair alguém ou atrairá a pessoa errada, até que as quinquilharias sejam removidas.

Estive em casas nas quais havia quinquilharia por toda parte. Imagine só as dificuldades por que essas pessoas passam, até aprenderem a controlar o próprio lar.

As quinquilharias bloqueiam e restringem o ch'i benéfico, de modo que ele não se espalha livremente pela casa. Muitas vezes, a causa desse acúmulo de objetos é a insegurança e o medo que as pessoas têm de abrir mão de algo. Conheci uma senhora que não jogava fora nem mesmo o jornal, quando acabava de ler. Quando morreu, sua garagem para dois carros estava cheia de jornais velhos, apodrecidos, enquanto que o seu luxuoso carro estava lá fora, exposto ao tempo!

O Centro da Sorte

Talvez você esteja se perguntando o que indica o centro do ba-guá. Essa área tem vários nomes. No Oriente, geralmente referem-se a ela como o setor da Sorte. Entretanto, ela também é conhecida como Centro Espiritual, Centro de Alma, Centro Ch'i e Área da Felicidade.

O centro de seu lar precisa ser mantido com cuidado. Só dessa forma, você atrairá fortuna e sorte em sua vida. Você terá também um crescimento espiritual.

Pode-se pendurar um lustre ou um cristal nessa área da casa. Qualquer luminária bonita pode servir. Isso atrai ch'i benéfico e reflete-o em direção a todas as outras partes da casa. Talvez você não consiga colocar um lustre nesse local, mas ative essa área de algum modo. Você descobrirá que sua percepção e seu crescimento pessoal lhe trarão muitos benefícios.

Um ventilador de teto ajuda a manter o ch'i circulando por todas as partes da casa.

Os Aposentos

Assim como o ba-guá é colocado sobre a planta de toda a casa, ele também pode ser colocado sobre cada um dos aposentos. Coloque o lado de baixo do ba-guá na entrada do aposento e observe as oito áreas. Talvez você descubra, por exemplo, que sua cama está colocada na área da Carreira. Talvez isso não seja um problema, mas é possível que haja um conflito caso você queira, por exemplo, constituir família.

Veja se o aposento está em desordem. Um amigo meu tinha uma casa bem arrumada, mas estava com problemas financeiros. Não consegui encontrar nenhum sinal de quinquilharia na casa, que estava bem equilibrada do ponto de vista do feng shui. Isso me intrigou durante algum tempo, até que a mulher dele mencionou que, ao se despir para ir para a cama, ele atirava toda a roupa no chão, bem na área da Abundância, e ali ficava ela, até de manhã. Logo que começou a colocar a roupa suja no cesto, e a pendurar as peças limpas antes de ir dormir, as finanças de meu amigo melhoraram. Na verdade, a área da Abundância, no quarto deles, ficava bagunçada durante oito horas por dia, e isso impedia que ele progredisse.

As Direções e os Elementos

Cada um dos oito lados do ba-guá indica também uma direção e um elemento. A necessidade de observar as direções pode parecer surpreendente, já que o ba-guá é posicionado de acordo com a localização da porta de entrada, que, na teoria, pode estar de frente para qualquer uma das oito direções. As direções da bússola não são utilizadas quando fazemos as Aspirações do Ba-guá. Contudo, elas são utilizadas para determinar os melhores aposentos dentro da casa para cada membro da família.*

Sul	Sucesso	Fogo	Filha adulta
Sudoeste	Casamento	Terra	Mãe
Oeste	Filhos	Metal	Filha mais moça
Noroeste	Mentores	Metal	Pai
Norte	Carreira	Água	Filho adulto
Nordeste	Conhecimento	Terra	Filho mais moço
Leste	Família	Madeira	Filho mais velho
Sudeste	Abundância	Madeira	Filha mais velha

Hoje em dia, os termos da família tradicional nem sempre são apropriados. Por isso, a direção sudoeste, que é perfeita para a mãe, poderia, nos dias de hoje, representar uma mulher mais velha. Da mesma forma, o filho adulto poderia

* Convém lembrar ao leitor que, neste trecho, como em todo o livro, as referências aos pontos cardeais e às suas qualidades têm em vista o Hemisfério Norte, razão pela qual o sul aí é apontado como a direção "de onde vem o calor", enquanto que o norte é a direção "de onde vêm os ventos fortes e gélidos".

Para os leitores do Hemisfério Sul, as qualidades apontadas para sul e norte naturalmente se invertem. (N.E.)

representar qualquer jovem, e a filha mais velha poderia indicar qualquer mulher madura que viva na casa.

Determinam-se essas direções utilizando-se uma bússola na porta de entrada de cada aposento. Um aposento que tenha abertura para o nordeste seria um bom quarto de dormir para um menino ou para o filho mais moço.

No Oriente, na maioria das vezes, projetam-se casas de frente para o sul, a fim de atrair a maior quantidade possível de luz solar. Isso significa que as direções dadas acima também determinam as melhores áreas da casa para as diversas atividades. Por exemplo, o sudeste é o lugar ideal para um estúdio ou escritório, já que é a área da Abundância. O norte também é um bom lugar para um gabinete, escritório ou local de trabalho, por ser a área do Sucesso. As filhas da família deveriam utilizar os quartos de dormir do sudoeste, já que essa área tem relação com o casamento. Crianças pequenas devem utilizar quartos do lado oeste, já que esse setor se relaciona com elas. Filhos mais velhos devem utilizar os quartos situados no noroeste, para atrair mentores que possam ajudálos. Adolescentes devem dormir ao norte, para que se concentrem numa carreira. O leste é uma boa direção para o quarto principal, já que é o setor da família.

No feng shui tradicional, as casas sempre estavam de frente para o sul, e a porta, assim como os aposentos mais importantes, também estavam nessa direção. A cozinha estava, tradicionalmente, de frente para o leste, e os quartos de dormir dos membros mais velhos da família ficavam no sudeste.

O Método dos Oito Trigramas

O Método dos Oito Trigramas também usa o ba-guá. Os oito trigramas vêm do I Ching[1], e cada um deles está relacionado com uma direção da bússola. Esse método também é conhecido como Nove Estrelas, e recebeu esse nome devido à Ursa Maior, que indica a Estrela do Norte, no hemisfério norte. A Ursa Maior consiste em apenas sete estrelas, mas os antigos chineses adicionaram duas estrelas simbólicas imaginárias, para indicar bons e maus augúrios. Dessa forma, são nove as estrelas.

Os oito trigramas são formados por três linhas, partidas ou inteiras. Existem oito combinações possíveis, uma para cada direção do ba-guá octogonal.

Os Trigramas

Chien — O Criativo

Direção	Noroeste
Símbolo	Céu
Palavra-Chave	Fortaleza
Elemento	Céu

☰

Chien consiste em três linhas inteiras. Essas linhas são conhecidas como linhas yang. Chien está relacionado com o chefe da família, que geralmente é o pai, e com os aposentos provavelmente mais usados por ele, tais como o escritório, a sala de descanso ou o quarto principal. Chien representa energia, determinação e persistência.

K'un — O Receptivo

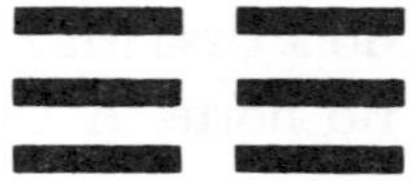

Direção Sudoeste
Símbolo A Terra
Palavra-Chave Obediência
Elemento Terra

K'un consiste em três linhas partidas (conhecidas como linhas yin), e representa as qualidades maternais. Conseqüentemente, indica, em geral, a mãe, e os aposentos que ela ocuparia, tais como a cozinha e o quarto de costura. K'un simboliza relacionamentos próximos, em especial entre marido e mulher.

Chen — O Incitar

Direção Leste
Símbolo Trovão
Palavra-Chave Progresso
Elemento Madeira

Chen é composto de duas linhas partidas (yin) sobre uma linha inteira (yang). Representa o filho mais velho. Como a direção Chen é o leste, essa é a melhor localização para o quarto do filho mais velho. Tem relação com decisão e progresso.

Sun — A Suavidade

Direção Sudeste
Símbolo Vento
Palavra-Chave Penetração
Elemento Madeira

Sun compõe-se de duas linhas yang (inteiras) sobre uma linha yin (partida). Está relacionado com a filha mais velha. Conseqüentemente, seu quarto deveria estar localizado na parte sudeste da casa. Tem relação com o vigor físico, a percepção e a força interior.

K'an — O Abismal

Direção Norte
Símbolo Água
Palavra-Chave Aprisionamento
Elemento Água

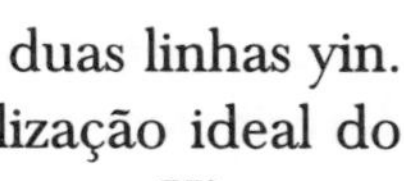

K'an é composto por uma linha yang entre duas linhas yin. Tem relação com o filho do meio. A localização ideal do seu quarto de dormir é no lado norte da casa. K'an está relacionado com ambição, determinação e trabalho duro.

Li — O Aderir

Direção Sul
Símbolo Fogo
Palavra-Chave Magnificência
Elemento Fogo

Li compõe-se de uma linha yin entre duas linhas yang. Está relacionado com a filha do meio. Seu quarto de dormir deve ficar na parte sul da casa. Está relacionado com felicidade, riso, beleza e simpatia.

Ken — A Quietude

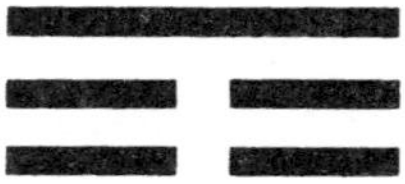

Direção Nordeste
Símbolo Montanha
Palavra-Chave Pausa
Elemento Terra

Ken é feito de duas linhas yin sob uma linha yang. Está relacionado com o filho mais moço. Seu quarto de dormir deveria ficar na parte nordeste da casa. Ken está relacionado com estabilidade e consolidação.

Tui — A Alegria

Direção	Oeste
Símbolo	Boca
Palavra-Chave	Alegria
Elemento	Lago

Tui compõe-se de duas linhas yang sob uma linha yin. Está relacionado com a filha mais moça. Seu quarto deveria ficar na parte oeste da casa. Tui está relacionado com prazer, alegria e satisfação.

Os Trigramas Pessoais

Seu trigrama pessoal baseia-se no ano em que você nasceu. Você encontra o seu trigrama no Apêndice 2.

Seu lar também tem um trigrama específico, que depende da direção para a qual a parte de trás da casa está voltada. No feng shui, essa direção é conhecida como a localização dos fundos. Por exemplo, uma casa Tui está voltada para o leste, mas os fundos estão no oeste.

Nome	Fundos para o	Frente para o
Li	Sul	Norte
K'un	Sudoeste	Nordeste
Tui	Oeste	Leste
Chien	Noroeste	Sudeste
K'an	Norte	Sul

Ken	Nordeste	Sudoeste
Chen	Leste	Oeste
Sun	Sudeste	Noroeste

O lar perfeito é aquele no qual o trigrama da casa é o mesmo que o trigrama pessoal do morador. Felizmente, as oito casas podem ser divididas em dois grupos, as Quatro Casas do Leste e as Quatro Casa do Oeste. As Quatro Casas do Leste são Li, K'an, Chen e Sun. As Quatro Casas do Oeste são Chien, K'un, Ken e Tui. Cada uma delas forma um grupo harmonioso fundamentado no ciclo dos elementos. As Quatro Casas do Leste são feitas dos elementos fogo, água e madeira, e as Quatro Casas do Oeste pertencem aos elementos terra e metal.

É bem possível que você seja feliz numa casa que pertence ao mesmo grupo ao qual você pertence. Se você é Li, por exemplo, você será feliz morando em qualquer uma das Quatro Casas do Leste (Li, K'an, Chen e Sun). Você também será feliz se morar num lar no qual a porta da frente abra para o leste. Da mesma forma, se você pertence às Quatro Casas do Oeste, você será feliz morando numa casa cuja porta da frente esteja no oeste.

Talvez você no momento esteja enfrentando uma dificuldade. O que acontece quando você pertence, por exemplo, às Quatro Casas do Leste, mas seu parceiro pertence ao grupo Oeste? No passado, o trigrama do homem da casa sempre era o fator decisivo. Hoje em dia, geralmente prevalece o trigrama daquele que sustenta a casa. Arrumam-se os aposentos da casa de acordo com o trigrama da pessoa que os utiliza mais.

Casa	Chien	K'un	Ken	Tui	Li	K'an	Chen	Sun
Fundos para	NO	SO	NE	O	S	N	L	SE
Direções Favoráveis								
1. Apogeu	NO	SO	NE	O	S	N	L	SE
2. Saúde	NE	O	NO	SO	SE	L	N	S
3. Longevidade	SO	NO	O	NE	N	S	SE	L
4. Prosperidade	O	NE	SO	NO	L	SE	S	N
Direções Desfavoráveis								
5. Morte	S	N	SE	L	NO	SO	O	NE
6. Desastre	SE	L	S	N	NE	O	SO	NO
7. Seis Shars	N	S	L	SE	SO	NO	NE	O
8. Cinco Espíritos	E	SE	N	S	O	NE	NO	SO

Figura 2F

Sempre se considerou uma sorte muito grande quando o marido e a mulher pertencem ao mesmo grupo de casas. Isso quer dizer que as mesmas direções e posições seriam benéficas a ambos.

Direções Favoráveis e Desfavoráveis

Toda casa tem quatro direções favoráveis e quatro desfavoráveis. Essas direções são determinadas pela maneira como se situa a casa. Por exemplo, numa casa Chien, o noroeste, o nordeste, o sudoeste e o oeste são considerados direções favoráveis, enquanto que o sul, o sudeste, o norte e o leste são considerados direções desfavoráveis. As direções favoráveis e desfavoráveis para cada tipo de casa estão na Figura 2F.

Cada direção se refere a uma área da sua vida.

Local do Apogeu

A Localização do Apogeu é muito boa. Ela está sempre na direção dos fundos da casa. Às vezes é conhecida como ***Fu Wei***, ou seja, "boa vida". Essa área sempre está situada na parte de trás da casa, e é um bom lugar para os quartos de dormir.

Local da Saúde

O Local da Saúde é uma boa área, que proporciona energia e saúde. É um excelente lugar para o quarto principal e para a sala de jantar. Essa área deve ser estimulada, para ajudar a todos que estão com a saúde debilitada.

Local da Longevidade

O Local da Longevidade promove a paz, a harmonia e saúde perfeita. Essa área deve ser estimulada quando a vida familiar não está indo tão bem como deveria. Ela pode amenizar conflitos conjugais e problemas familiares.

Local da Prosperidade

O Local da Prosperidade é a área mais favorável da casa. Representa progresso, sucesso financeiro, entusiasmo e vitalidade. Essa é uma boa área para a porta da frente, para a porta da cozinha, para o gabinete de trabalho, ou para o escritório. O Local da Prosperidade muitas vezes é conhecido como ***Sheng Chi***, ou seja, "que gera um bom ch'i". A direção indicada pelo Local da Prosperidade é a sua direção de mais sorte. Se você puder orientar as coisas mais importantes de sua vida nessa direção, ao mesmo tempo que evita os shars, seu sucesso está garantido. Você pode ressaltar essa área colocando a cabeceira da sua cama nessa direção, e saindo para o trabalho nessa direção.

Local da Morte

O Local da Morte está relacionado com acidentes, doenças e outros infortúnios. É um bom local da casa para o banheiro. (Na verdade, todas as direções desfavoráveis são bons lugares para se colocar um vaso sanitário, já que é ali que o ch'i ruim "desce cano abaixo".) Esse é o pior lugar da casa, e a porta da frente não deve estar voltada para essa direção.

Local do Desastre

O Local do Desastre está relacionado com disputas, problemas legais e discussões. É um bom lugar para depósitos, despensas e para o banheiro. Sua cama não deve estar nessa direção.

Local dos Seis Shars

O Local dos Seis Shars está relacionado com procrastinação e perda de reputação e dinheiro. É um bom local para a cozinha ou o banheiro.

Local dos Seis Espíritos

O Local dos Seis Espíritos está relacionado com incêndios, roubos e dificuldades financeiras. Se a porta da frente está nessa direção, você pode sofrer um incêndio ou roubo. Esse local é uma boa posição para a despensa e para o banheiro.

Para determinar as áreas exatas da sua casa que estão relacionadas com esses locais, você precisa colocar o ba-guá sobre a planta da casa. Você pode utilizar a versão da forma octogonal, retangular ou quadrada. Caso sua casa tenha um formato diferente, talvez você precise de dois ou três ba-guás para cobrir todos os cômodos. Se você estiver usando a versão octogonal, o centro do ba-guá é colocado sobre a área da Sorte, no centro da casa.

Imagine que você esteja morando na casa da Figura 2G. Essa é uma casa Chen, que está voltada para o oeste e os fundos para o leste.

Para facilitar, vamos utilizar um ba-guá quadrado, que sirva sobre a planta da casa (Figura 2H).

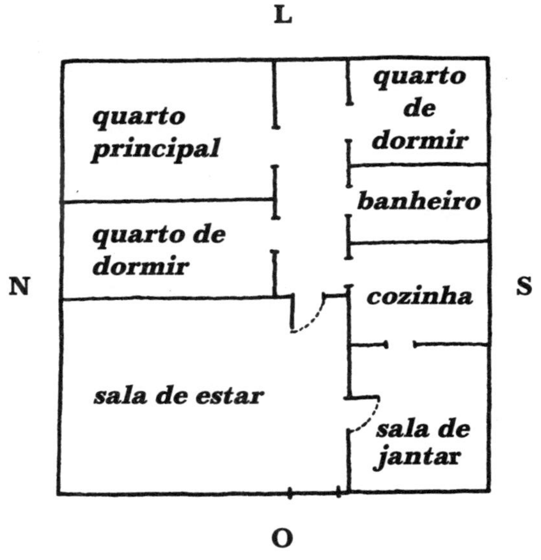

Figura 2G

Isso quer dizer que as quatro direções favoráveis são: Apogeu no leste, Saúde no norte, Longevidade no sudeste e Prosperidade no sul.

Naturalmente, há também quatro direções desfavoráveis. A Morte está no oeste, o Desastre no sudoeste, os Seis Shars no nordeste, e os Cinco Espíritos no noroeste.

Agora que já estamos de posse dessa informação, podemos interpretar os resultados. Geralmente eu começo com a direção do Apogeu, já que ela está sempre na mesma direção dos fundos da casa.

Nessa casa, a direção da Apogeu está no leste, e inclui tanto o quarto principal quanto o corredor.

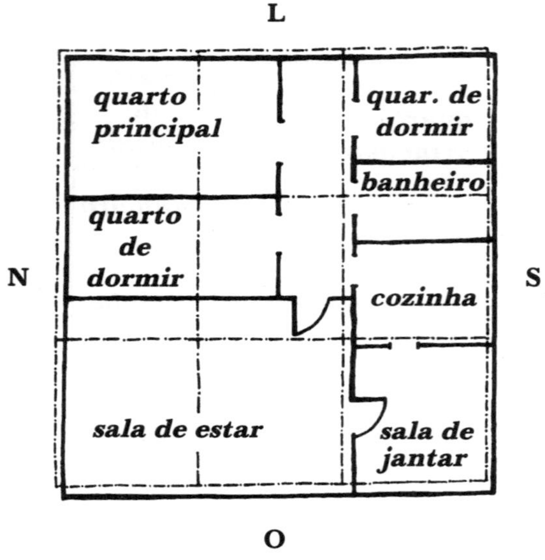

Figura 2H

Esse local é perfeito para os quartos de dormir. O local do Apogeu também é conhecido como *Fu Wei* (literalmente, "boa vida"), e é muito bom para o quarto principal. No Oriente, acredita-se que se o seu quarto fica nesse local, você terá mais descendentes homens do que mulheres. Isso é bom, caso você queira um menino. Se quiser uma menina, porém, você terá de colocar alguns itens relacionados com meninas em sua penteadeira.

Nessa casa, o local da Saúde situa-se ao norte. Esse é um local muito bom para o quarto principal e a sala de jantar. Nessa casa, nenhum dos dois tem essa localização, mas sim o segundo quarto de dormir, o que vem a ser quase a mesma coisa. Essa é a área da vitalidade e da boa saúde. O dono desse quarto vai se beneficiar com ambas.

O local da Longevidade é no sudeste. Aí se encontra o terceiro quarto de dormir e a metade do banheiro. Esse quarto de dormir é o ideal para as pessoas mais idosas da casa. Na China, essa área chama-se *Nien Yi*, que significa "vida longa com muitos herdeiros". É pena que metade do banheiro esteja no local da Longevidade, porque isso significa que alguns dos benefícios se perderão na descarga do vaso sanitário. Um grande espelho na parede que divide os dois aposentos remediaria a situação.

O local da Prosperidade está no sul, e inclui a cozinha e a metade do banheiro. Essa direção geralmente é a mais auspiciosa da casa toda. Infelizmente, a água desce pelo ralo tanto do banheiro quanto da cozinha, fazendo com que essa localização seja a pior possível para os dois aposentos. Eles precisarão de muitos artifícios para solucionar a situação e eliminar os aspectos negativos do banheiro e da cozinha. O mais importante seria não deixar nenhum dos canos do esgoto à vista. Pendurar um cristal nos dois aposentos estimularia o ch'i a fluir para cima, e para longe dos canos. Os dois aposentos deveriam estar decorados com cores alegres e positivas, a fim de estimular o ch'i a entrar e ficar por um pouco de tempo.

O local da Morte tem uma fama ruim, e é o primeiro dos locais desfavoráveis presentes numa casa. Na China, esse local é conhecido como *Chueh Ming* ("catástrofe total"), e está relacionado com acidentes, doenças e outros desastres. É o local perfeito para o banheiro.

Infelizmente, nessa casa o local da Morte ocupa a metade da sala de estar, o que inclui a porta de entrada. Essa é a pior localização para a porta da frente, pois está relacionada com má saúde, perda de dinheiro e da reputação.

Para piorar a situação, a outra metade da sala de estar está no noroeste, que representa o local dos Cinco Espíritos. Ele está relacionado com incêndios, roubo e problemas financeiros. Em conseqüência disso, a sala dessa casa vai precisar de uma série de recursos feng shui para garantir a proteção das pessoas que a usam.

A porta da frente precisará ser bem iluminada e bonita. As cadeiras devem estar na parte da sala que se relaciona com a Saúde, a fim de assegurar vitalidade e saúde.

O local do Desastre é no sudoeste. Essa área está relacionada com discussões, desacordos e raiva. Infelizmente, a sala de jantar está nesse local. Seria necessário colocar um lustre ou outro tipo de luz brilhante nessa sala, a fim de evitar disputas ao receber convidados.

O local dos Seis Shars está no nordeste e inclui dois terços da suíte. Esse local está relacionado com procrastinação, perda e escândalo. Em conseqüência disso, a cama deveria estar situada na parte do quarto que fica no local do Apogeu.

Escolhi essa casa de propósito, já que muitas áreas favoráveis estão em locais desfavoráveis, e vice-versa. Lar nenhum é perfeito, e você talvez descubra uma ou duas áreas em seu lar que talvez estejam no local errado. Não precisa ficar alarmado. Coloque em prática as soluções do feng shui, e você vai ver que a vida ficará mais fácil. (O Capítulo 11 contém todas as soluções necessárias para qualquer área problemática.)

Como você pode ver, tanto as Aspirações do Ba-guá quanto os oito trigramas nos dão uma boa visão da casa toda. Mas nenhum dos dois nos dá toda informação necessária para termos uma visão total. Para isso, temos de dar uma olhada na porta de entrada e em cada um dos aposentos. Vamos começar no capítulo a seguir.

Dicas do Feng Shui

8. Evite quinquilharias. Faça um esforço redobrado para livrar-se de qualquer coisa que você esteja guardando sem precisar.

9. Incentive seu crescimento pessoal ativando o seu lar, de acordo com as áreas indicadas pelas Aspirações do Baguá.

10. Casas térreas produzem mais ch'i do que casas assobradadas. Casas com mais de um andar confundem o ch'i, quando ele entra pela porta da frente, já que ele não sabe se deve subir ou descer. Acredita-se também que, se a sala de estar estiver num andar mais elevado do que a sala de jantar e a cozinha, todo o ch'i positivo sairá da casa junto com os visitantes. Os quartos de dormir, o escritório e a sala de jogos tampouco deveriam ficar num lugar mais alto do que a sala de jantar. Finalmente, considera-se negativo entrar numa casa pelo andar de cima, e daí descer para ir para o resto da casa. Isso porque descer significa um rebaixamento de posto, ou perda de posição social.

11. A casa deve estar de frente para o sul.

12. A porta da frente deve abrir para o sul.

13. A cozinha deve estar no leste.

14. Os quartos de dormir não devem estar em contato direto com a cozinha.

15. A proporção entre portas e janelas não deve exceder três por um.

16. Deve-se evitar longos corredores em linha reta.
17. Não deve haver três ou mais portas em linha reta.
18. Casas com apenas um andar são melhores do que casas com vários andares.
19. Deve-se evitar escadas em espiral.

Capítulo 3

A Porta da Frente

A porta da frente de sua casa representa você e o modo como você encara a vida. Geralmente entramos e saímos de casa sem notar coisa alguma. Talvez seja um exercício interessante entrar em sua propriedade e tentar, conscientemente, ver tudo o que um estranho notaria ao fazer uma visita. O ideal seria ter uma entrada e uma porta da frente alegres e convidativas. Por isso, se a pintura da porta estiver descascando, a campainha estiver quebrada e a porta emperrada, isso cria um mau feng shui. Bastante luz, plantas com flores e uma entrada sem muitas quinquilharias criam um feng shui bom.

A porta da frente é de extrema importância no feng shui, já que é o principal local por onde o ch'i entra na casa. No feng shui, a porta da frente deve ser um pouco maior do que a porta dos fundos. Isso é para evitar que todo o ch'i benéfico que está entrando pela porta da frente saia imediatamente pela porta dos fundos.

A porta da frente deve ter um tamanho proporcional ao tamanho da casa. Se é grande demais, ela deixa que o valioso ch'i escape. Acredita-se que isso causa problemas financeiros. Se a porta é pequena demais para o tamanho da casa, a quantidade do ch'i que consegue entrar fica limitada (Figura 3A). Antigamente, utilizavam-se portas espaçosas em castelos, igrejas e edifícios públicos. Elas eram construídas assim para intimidar e assustar quem entrasse. Pressupõe-se que você não queira que seus convidados se sintam assim, nem tampouco que você queira ter problemas financeiros.

O oposto acontece quando sua porta é pequena demais. Uma porta pequena não apenas restringe a quantidade de ch'i que entra, mas também tende a fazer com que os moradores da casa fiquem nervosos e apáticos.

A porta de entrada é a que é mais utilizada. Se você entra e sai por outra porta que não seja a de entrada, ela se torna a porta principal — ou da frente.

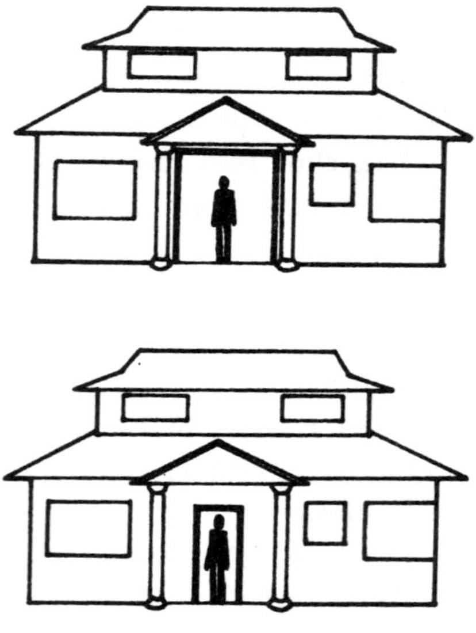

Figura 3A

A porta da frente deve estar do lado esquerdo da casa quando você está de costas para a mesma. Você, obviamente, não tem controle nenhum sobre isso, se já está morando na casa, mas é algo para ter em mente na próxima vez em que se mudar. O dragão está à esquerda da casa, e sua energia e ch'i abundante entram mais facilmente na residência se a porta estiver desse lado. Uma porta localizada na parte central da casa é melhor do que uma porta à direita.

Tradicionalmente, a porta da frente deve estar no lado leste ou sul da casa. Isto quer dizer que você receberá o sol matinal ao sair para o trabalho. Em conseqüência, você começa o dia com um humor melhor do que se a porta estivesse no oeste ou no norte.

Não queremos nenhum shar na nossa porta de entrada. Esse é o aspecto mais importante do feng shui. A entrada da frente deve ser protegida. O shar mais grave ocorre quando a casa se situa numa encruzilhada em forma de T, com uma rua diretamente em frente à porta. Isso fica ainda pior se a rua é uma descida em direção à sua casa.

O caminho que leva à porta também pode criar um shar, caso ele seja reto da rua até a porta.

Uma árvore solitária também pode criar um shar, especialmente no inverno, quando os galhos expostos apontam diretamente para a porta da frente.

Felizmente, existem soluções para todas essas situações. A rua pode desaparecer simbolicamente, plantando-se uma cerca viva, ou construindo-se uma cerca, de modo que a rua fique invisível.

O caminho pode ser transformado numa curva suave, ou talvez reformado, de forma que haja um ângulo reto antes de chegar à porta.

Outras árvores podem ser plantadas a fim de eliminar os efeitos negativos de uma árvore solitária. É melhor que sejam sempre-vivas. Uma outra alternativa seria colocar dois postes de luz, um de cada lado do caminho de entrada, entre a árvore e a porta da frente. Isso forma um triângulo, com a ponta na direção contrária à sua porta (Figura 3B).

Caso não possa pôr nenhuma dessas soluções, um espelho ba-guá, colocado acima da porta, pode servir para eliminar o dano em potencial causado por esses shars. O espelho ba-guá simbolicamente captura o shar, e o reflete de volta para onde veio.

A entrada da garagem, que é considerada parte da entrada de sua casa, não deve ser mais estreita na rua do que perto da casa; isso restringiria o ch'i. Uma luz de cada lado da entrada da garagem é uma solução de bastante efeito para esse problema.

A entrada da garagem não deve ser uma descida abrupta para a rua, já que isso faz com que a sorte flutue para fora. Uma descida suave não exerce o mesmo efeito. A porta da frente deve se abrir para um terreno plano, e não para uma descida ou subida. Uma subida simboliza obstáculos, atrasos e frustrações.

Flores e outras plantas criam mais ch'i, quando colocadas em qualquer um dos lados da entrada da garagem. O jardim da frente precisa ser bem cuidado. Ervas daninhas e folhas mortas representam oportunidades perdidas e desestimulam o ch'i.

Muitas casas da cidade têm a entrada no topo de escadas que levam à rua. Isso cria um bom feng shui, já que os moradores se sentem subconscientemente mais seguros um pouco acima da rua. É uma boa idéia, nesse caso, plantar arbustos nos dois lados dos degraus, a fim de estimular o ch'i.

Figura 3B

Não é um bom feng shui ter a porta de entrada abaixo do nível da rua. Isso tende a restringir o ch'i, e faz com que os moradores se sintam inseguros e aprisionados. O remédio para isso é manter a entrada bem iluminada, e colocar plantas perto da porta da frente.

A entrada principal deve oferecer proteção contra o tempo. Não é divertido ficar encharcado de chuva enquanto estamos procurando pelas chaves. É também desagradável que seus convidados fiquem expostos ao tempo enquanto esperam que você abra a porta.

Quanto mais convidativa for a entrada melhor. Isso tanto encoraja o ch'i, quanto cria uma expectativa agradável nas visitas. Como você sabe, as primeiras impressões são muito importantes. Se a porta da frente precisa de uma pintura, e há uma coleção de sapatos e uma planta morta na entrada, as expectativas diminuem. Se, por outro lado, a entrada parece limpa, sem quinquilharias, parecendo dar as boas-vindas, seus convidados vão imediatamente se sentir mais animados e positivos a respeito de sua casa. O ch'i sente a mesma coisa.

A porta da frente deve ser fácil de ser vista. Se os seus convidados têm dificuldades para encontrá-la, o ch'i também terá. Temos amigos que têm uma porta escondida, ao lado da casa. Na frente há uma porta dupla, que vai da sala de estar para o jardim. Quase todas as visitas batem nessa porta, já que a porta da frente é difícil de encontrar.

A porta da frente deve abrir para dentro, e não para fora. Portas que se abrem para fora desencorajam a entrada do ch'i.

A porta da frente deve dar para um aposento claro, bem iluminado, dando um vislumbre de parte do interior da casa. O vestíbulo de entrada deve parecer grande. Se a porta da frente se abre para um vestíbulo apertado, o ch'i se sentirá diminuído e confinado. O remédio para isso é colocar nesse local um espelho grande. Esse espelho deve ser grande o suficiente para que não corte a cabeça das visitas. Um espelho assim faz com que a área de entrada pareça maior do que realmente é, e encoraja o ch'i a entrar. Talvez seja uma boa idéia colocar o espelho acima de uma pequena mesa lateral, ou outro móvel assim. Pode-se colocar algumas flores ou ornamentos sobre ele, a fim de atrair o ch'i para dentro.

O interior da casa deve ser bem iluminado, para encorajar o ch'i a entrar. Entradas mal iluminadas e sombrias desencorajam-no. O remédio para isso é aumentar a quantidade de luz nesse local. Um lustre seria perfeito, já que os cristais energizam o ch'i e o refletem em todas as direções.

Não convém que a porta dos fundos seja vista da porta de entrada. Essa situação faz com que o ch'i entre na casa só para sair logo depois. Assim, caso a porta dos fundos fique no fim de um longo corredor que começa na porta da frente, você tem um shar interno. Se for possível, mude a posição da porta dos fundos. Também pode-se colocar um biombo, para tirar de vista a porta dos fundos. Pode-se pendurar cristais ou um mensageiro dos ventos junto à porta da frente e à porta dos fundos, para encorajar o ch'i a permanecer mais tempo. Finalmente, se a porta dos fundos é sólida, pode-se colocar um espelho na mesma, para encorajar o ch'i a voltar para dentro.

É um mau feng shui a porta da frente dar diretamente para uma escadaria que sobe ou desce (Figura 3C). Isso confunde o ch'i, já que ele não sabe se deve subir ou entrar nos aposentos do térreo. Isso também significa que os moradores vão ficar inclinados a entrar na casa e imediatamente subir para o quarto, em vez de ficar na companhia dos outros membros da família. Isso não se aplica caso a escada fique num ângulo reto com a porta da frente, já que essa arrumação permite que o ch'i tenha tempo de se acostumar com a localização dos aposentos da casa. A solução para a escada que sobe diretamente em frente da porta de entrada é pendurar um cristal no teto sobre o primeiro degrau. O ch'i se sentirá atraído para o cristal, e não para a escada. A escada que desce em frente da porta geralmente tem uma porta. Mantenha essa porta fechada sempre que possível.

É melhor que seus convidados vejam um vestíbulo ou uma sala de estar bem bonitos quando a porta de entrada for aberta. Entretanto, não queremos que essa porta se abra diretamente para a sala de estar, já que isso tira a privacidade dos moradores. O remédio para isso é cobrir parcialmente a entrada. Uma prateleira de livros, um biombo decorativo ou plantas grandes podem dar privacidade sem diminuir o feng shui da sala.

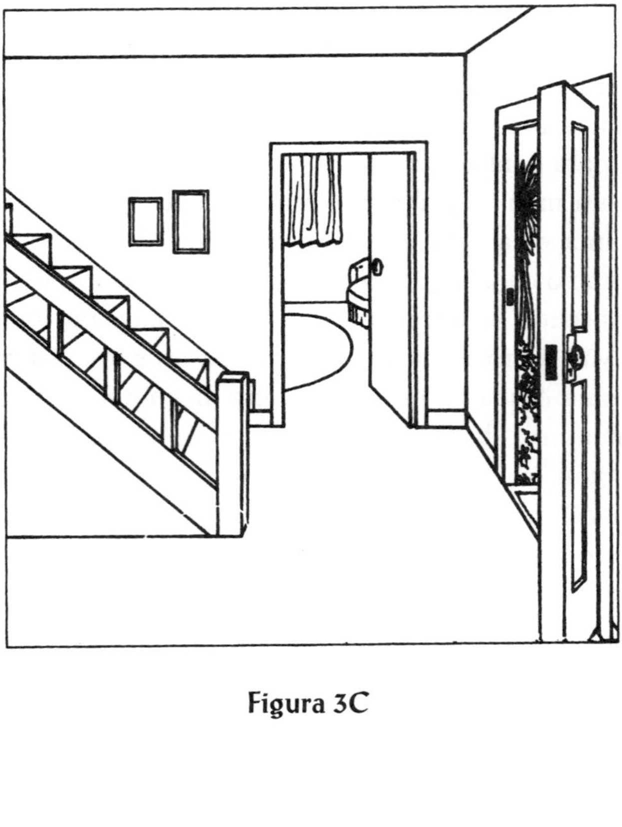

Figura 3C

Se os seus convidados podem ver a cozinha quando entram na casa, eles ficarão pensando em comida, e a cozinha se tornará o centro de reunião da casa, em vez da sala de estar. Eles também terão a tendência de comer demais. Se você não quer que isso aconteça, mantenha a porta da cozinha fechada, ou fora de vista.

A porta de entrada tampouco deveria ficar de frente para um banheiro ou para um quarto de dormir. O ideal seria que não víssemos da porta de entrada o banheiro, o fogão ou a lareira. Acredita-se que, quando a porta de entrada está de frente para um quarto de dormir, os ocupantes desse quarto sempre estarão cansados. E, ao contrário, se a porta de entrada está de frente para um escritório, seus ocupantes serão ativos e trabalhadores. No feng shui, a água está relacionada com prosperidade. Conseqüentemente, as pessoas que têm uma porta de entrada de frente para o banheiro permanecerão pobres, já que a prosperidade da família está sempre indo embora com a descarga.

Pode ser uma experiência reveladora fazer de conta que você é um possível comprador, e entrar pela sua porta notando todas as coisas que você nem vê mais. Todos nós vemos nosso lar de um modo sentimental, e é difícil vê-lo com os olhos de um estranho. Talvez seja bom tirar fotos. Quando você for capaz de ver a entrada da sua casa de uma maneira objetiva, você notará as áreas que precisam de uma camada de tinta ou uma boa lavada. Você notará a diferença de ponto de vista no momento em que fizer alguma melhoria na porta da frente. Você se sentirá melhor, mais ch'i entrará, e seus convidados se sentirão mais bem-vindos. E, além do mais, você também terá aumentado o valor da sua casa aos olhos de algum comprador em potencial.

Como você pode ver, a posição da porta da frente tem muita importância no feng shui. A posição da porta da frente e do fogão representam os aspectos mais importantes do feng shui no seu lar.

Dicas do Feng Shui

20. O tamanho da porta da frente deve estar de acordo com o tamanho da casa. Se a porta da frente for grande demais, em comparação ao tamanho da casa, sua vida financeira sofrerá. Se for pequena demais, restringirá o ch'i, e ocorrerá desacordos na família.

21. Solucione qualquer shar que esteja atrapalhando a porta de entrada. Esse é o aspecto mais importante do feng shui. Procure nas vizinhanças qualquer telhado que forme ângulo com a sua casa, ou qualquer linha reta, poste de luz, árvore alta solitária, e qualquer coisa pontiaguda, angular ou reta. Se a sua casa estiver em frente a uma encruzilhada em T, por exemplo, você precisará fazer o caminho que vai até sua porta "desaparecer". Um espelho ba-guá sobre a porta de entrada fará isso. Cercas e árvores também podem ser uma boa solução.

22. Você precisa podar as árvores que escondem a porta da frente da sua casa. A porta de entrada significa sua carreira, e precisa estar sempre desimpedida.

23. Assegure-se de que sua porta de entrada é a mais agradável possível. Ela deve ser fácil de ser encontrada e encorajar as visitas a entrar.

24. Sinos tibetanos ou mensageiros dos ventos, tapetes na entrada, plantas, vasos de flores e estátuas de animais encorajam o ch'i a entrar pela porta da frente.

25. Se você tiver uma entrada pequena e estreita, use um espelho grande para fazer o lugar parecer maior.

26. Elimine um shar em linha reta, que vá do portão à porta, colocando uma banheira para passarinhos, um

laguinho ou um chafariz perto da porta. Isso atrairá sorte e boa fortuna.

27. A porta da frente deve ser um pouco maior do que a porta dos fundos. Isso faz com que o ch'i flua de modo rápido e fácil, mas permaneça um pouco dentro da casa, antes de sair outra vez.

28. O terreno e os prédios à esquerda da sua porta da frente, quando você está de costas para ela, devem ser um pouco mais altos do que os que se encontram à direita. (Isso porque terrenos e prédios à esquerda simbolizam o dragão. Os que estão à direita simbolizam o tigre.)

29. A melhor posição para a porta da frente é à esquerda, quando se está de costas para a casa. Isso permite que o dragão verde proteja a entrada principal.

30. A porta de entrada não deve estar em linha reta com a porta dos fundos. Isso cria um shar, e todo o ch'i escapará logo ao entrar. É difícil se concentrar numa casa assim. Use móveis ou espelhos que façam com que o ch'i se movimente em curvas pela casa. Você também pode pendurar cristais nos aposentos, entre as duas portas, para encorajar o ch'i a permanecer um pouco.

31. Uma porta da frente sólida é melhor do que uma de vidro. Se sua porta é quase toda de vidro, cubra-a parcialmente com cortinas, ou aplique um adesivo decorativo na mesma. Isso serve para evitar que o ch'i ou os seus convidados a confundam com uma janela.

32. Se a porta da frente tem dois ou mais painéis, assegure-se de que eles são todos do mesmo tamanho. Isso ajuda a criar harmonia e equilíbrio.

33. Talvez seja uma boa idéia pintar a porta da frente de uma cor que contraste com as laterais da casa, para enfatizá-la e encorajar o ch'i.

34. É uma boa idéia colocar árvores ou arbustos em torno da porta da frente, para dar uma ilusão de privacidade. Mas é essencial que a porta permaneça visível.

35. Flores nas laterais do caminho da frente encorajam o ch'i, e elevam o espírito dos convidados.

36. Experimente ver sua entrada principal como se fosse um visitante que a vê pela primeira vez. Note todas as imperfeições, e corrija-as. Você ficará satisfeito com os resultados, e também sentirá mais ch'i entrando em sua casa.

Capítulo 4

A Cozinha

Algumas de minhas lembranças mais antigas estão ligadas à cozinha, vendo minha mãe preparar a comida. Eu gostava de ver a eficiência dela enquanto preparava a comida, e adorava o cheiro dos pratos que ela fazia. Em conseqüência disso, a cozinha, para mim, sempre representou amor, calor humano, conforto e segurança. Talvez suas lembranças mais antigas também estejam ligadas à cozinha.

É claro que, em tempos passados, a cozinha era o centro do lar, e a família se reunia ali para conversar e se aquecer, enquanto o jantar estava sendo preparado. Hoje em dia não é mais assim, e conheço pessoas que nunca usam a cozinha, preferindo comer fora.

Você já notou como as pessoas se reúnem na cozinha durante uma festa? Eu acho que isto tem alguma ligação com a tentativa de resgatar os sentimentos agradáveis de aconchego e amor da nossa infância.

A cozinha deve parecer convidativa. Deve ser clara e arejada, para atrair muito ch'i benéfico. Especialmente nesse aposento, o ch'i deve fluir da forma mais livre e desimpedida possível. Queremos que o ch'i penetre na comida recém-preparada, já que isso beneficia toda a família. Por isso, a cozinha deve ser bem iluminada; o ideal seria que tivesse janelas, para deixar entrar bastante luz natural.

O fogão ou forno é, tradicionalmente, a sede da prosperidade da família. A palavra em mandarim para comida é *ts'ai*, que tem um som parecido com a palavra utilizada para prosperidade. É claro, também, que necessitamos de alimento para viver. Devido a isso, depois da porta da frente, a cozinha é a parte mais importante da casa.

O fogão deve estar de frente para o centro da casa (a posição da sorte). Isso aumenta a prosperidade da família. Entretanto, quando o fogão está de frente para a porta de entrada, isso prejudica a saúde e a prosperidade.

O fogão também não deve estar de frente para o banheiro, para a porta do quarto principal, para uma escada ou para uma cama.

A pessoa que está usando o fogão (ou o forno ou o microondas) deve poder ver qualquer pessoa que entre na cozinha, sem precisar voltar muito a cabeça. Por isso, não convém que haja uma porta atrás dessa pessoa. A solução para isso é colocar um espelho ao lado do fogão, para que o cozinheiro possa ver quem entra na cozinha. Não queremos que o cozinheiro seja surpreendido por alguém que entre inesperadamente, porque acredita-se que isso afete negativamente a comida.

Por sinal, se você entrar na cozinha de um restaurante chinês, é bem possível que veja espelhos em torno do forno. Esses espelhos multiplicam simbolicamente a quantidade de alimentos que saem do forno, o que aumenta a possibilidade de lucro.

Deve haver espaço suficiente, em torno do fogão, para que o cozinheiro possa trabalhar. Se ele se sente apertado e confinado, a qualidade da comida pode ser afetada. Um remédio para isso é pintar a cozinha com cores claras, e aumentar a quantidade de luz no aposento.

Por outro lado, não queremos que a cozinha ocupe um grande espaço aberto, constantemente usado como passagem pelas pessoas, que distraem o cozinheiro. Se a sua cozinha parece mais um corredor do que uma cozinha, coloque uma mesa bem no meio dela, para servir de barreira. Essa mesa pode ser usada durante a preparação dos alimentos, e talvez até para servir as refeições.

O fogão deve estar sempre limpo e bem cuidado. Se não está funcionando como deveria, cria-se um ch'i negativo. Isso não é de surpreender. Como o fogão representa a prosperidade da família, queremos que ele sempre funcione perfeitamente.

Portanto, procure utilizar regularmente todas as bocas e acessórios do fogão. Em geral, nós nos acostumamos a usar sempre os mesmos, mas se usarmos todos, isso pode ajudar nossa prosperidade.

Vamos querer também uma despensa e um refrigerador com um bom estoque de alimentos. A razão disso é que a qualidade e a quantidade dos alimentos reflete-se diretamente na prosperidade da família. Um suprimento aparentemente ilimitado de comida simboliza abundância, contentamento e felicidade.

Se a casa tem dois ou mais andares, o banheiro não deve estar exatamente sobre a cozinha. O vaso sanitário cria um ch'i negativo, o que afetará adversamente a sorte e a prosperidade da família.

A cozinha deve estar no mesmo andar e bem perto da sala de jantar. A razão disso é que o ch'i benéfico é produzido na cozinha. Queremos que a família e os convidados recebam o máximo desse ch'i. Se a sala de jantar está muito distante – ou num nível diferente – da cozinha, muito ch'i será perdido. Crê-se também que, se a sala de jantar estiver situada num nível mais elevado do que a cozinha, as visitas, quando se forem, levarão embora o ch'i benéfico.

O fogão representa tanto o elemento fogo quanto o elemento metal. O refrigerador e a pia representam a água. Tradicionalmente, o fogo e a água não combinam. Entretanto, é bastante improvável que você vá preparar as refeições fora do fogão. O metal do fogão contém fogo, e metal e água se dão bem. Entretanto, é interessante notar que o forno compreende tanto metal quanto fogo, os quais não se dão bem. A terra é o elemento de equilíbrio entre o fogo e o metal. Conseqüentemente, é uma boa idéia utilizar panelas de barro e de cerâmica no forno.

A despeito do fato de que o forno é metal e o refrigerador é água, eles não devem ser colocados lado a lado. Isso porque o elemento fogo do forno, ainda que protegido pelo metal exterior, ainda está perto demais do elemento água do refrigerador. Como a madeira fica entre o fogo e a água no ciclo dos elementos, uma mesa de madeira poderia ser colocada entre esses dois eletrodomésticos. Uma outra alternativa seria pintar a parede de verde (que representa o elemento madeira). É melhor, porém, manter o refrigerador e a pia bem longe do fogão.

Por sinal, o branco é uma boa cor para a cozinha, já que ele está relacionado com o elemento metal. Isso ajuda a harmonizar os diversos utensílios metálicos da cozinha, tais como o fogão, o refrigerador e a lavadora de louça.

Não queremos que nenhum cano ou ralo estejam visíveis na cozinha. A água escorre por eles, o que simboliza a prosperidade saindo pelo cano.

Não queremos que a cozinha seja visível da porta de entrada, a menos que você queira passar sua vida inteira preocupado com comida. Um biombo pode esconder a cozinha com eficiência. Ao mesmo tempo, mensageiros dos ventos ou cristais pendurados podem ser uma boa solução.

Dicas do Feng Shui

37. A cozinha deve ser bem iluminada, e dar uma sensação de espaço. Como a cozinha simboliza a prosperidade da família, deveria ser bem iluminada, para estimular o fluxo do ch'i. Se ela for muito escura e sombria, você não vai gostar de ficar muito tempo nela.

38. Convém que o cozinheiro possa ver quem entra na cozinha sem ter de virar a cabeça mais do que 45°. Se isso não for possível, coloque espelhos, a fim de que ele possa ver a porta.

39. O fogão deve estar sempre limpo e em boas condições, já que ele está diretamente relacionado com a prosperidade da família.

40. Use todos os acessórios do fogão, já que isso vai ajudar a sua prosperidade.

41. Mantenha na cozinha um bom estoque de alimentos, para uma impressão de abundância.

42. Procure esconder todos os canos e ralos, já que eles simbolizam a prosperidade escoando para fora.

43. A cozinha deve ser arejada, espaçosa e convidativa.

Capítulo 5

A Sala de Jantar

A sala de jantar deve ser espaçosa, confortável e convidativa. A atmosfera desse aposento é quase tão importante quanto a comida. O tempo que você passa nesse lugar deve ser estimulante e gostoso. A família deve passar horas felizes ali, conversando e descansando, enquanto faz as refeições.

A sala de jantar deve estar próxima à cozinha, mas não muito perto da porta de entrada. Se os seus convidados podem ver a porta da frente quando estão na sala de jantar, talvez eles terminem de comer e vão embora.

O ponto mais importante da sala é a mesa. Tudo o mais é secundário. A mesa de jantar deve ser colocada perto do centro da sala, ou pelo menos numa posição na qual os convidados possam se levantar sem se sentirem acuados contra uma parede.

Muitas pessoas que moram sozinhas têm o costume de se sentar sempre no mesmo lugar da mesa. Isso, entretanto, é considerado negativo no feng shui, uma vez que as outras cadeiras nunca são utilizadas. Isso significa que você está, simbolicamente, desencorajando a chegada de visitas. Assegure-se de que haja pelo menos três cadeiras em torno da mesa, e varie a posição dos assentos, para que todos sejam usados. Isso encorajará as pessoas a ir à sua casa.

A sala de jantar não deve estar num nível inferior à sala de estar. Essa é uma das razões pelas quais as casas com vários níveis não são favoráveis, segundo o feng shui. Quando a sala de jantar fica num nível inferior ao da sala de estar, acredita-se que o ch'i benéfico flui para suas visitas e sairá da casa com elas.

Mesas redondas ou ovais são consideradas melhores do que as quadradas ou oblongas. Há duas razões para isso. Mesas quadradas ou retangulares formam shars nos cantos. Isso pode ser eliminado, em muitas mesas, arredondando um pouco esses cantos. Entretanto, quando duas pessoas se sentam uma em frente à outra, em uma mesa quadrada ou retangular, elas parecem ser adversárias uma da outra. O rei Artur descobriu, há muito tempo, que a mesa redonda é mais harmoniosa do que a retangular. Mesas em forma de ba-guá (octogonais) também são consideradas boas, já que atraem energia de todas as direções.

Não vamos querer muitos móveis nessa sala, especialmente se isso faz com que o aposento pareça cheio demais. É melhor colocar apenas a mesa e as cadeiras, do que colocar mesas laterais, ou outros móveis, que façam com que a sala pareça pequena e restrita.

Pode-se utilizar quadros ou espelhos para acentuar a energia ch'i. Na sala de jantar, os chineses utilizam, muitas vezes, pinturas de alimentos ou então cenas de montanhas com rios fluindo calmamente. Espelhos, é claro, não simbolizam apenas uma quantidade duas vezes maior de alimentos sobre a mesa, mas também uma quantidade duas vezes maior de amigos.

As cadeiras da sala de jantar devem ser confortáveis. Não queremos que nossos convidados terminem de comer e se levantem imediatamente. Os membros da família devem se sentar de costas para a parede, e não embaixo da janela. Isso lhes dará apoio suficiente, para entreter seus convidados com mais confiança.

A posição das pessoas à mesa é, por si só, uma arte. O chefe da família deve se sentar de frente para a porta de entrada da sala. Tradicionalmente, a mãe e o pai se sentam nas cabeceiras opostas da mesa retangular. No passado, o pai sempre era considerado o dono da casa. Hoje em dia, geralmente quem recebe esse título é aquele que contribui mais para a renda da casa. Como a maioria das civilizações do passado, a China era um sistema patriarcal. Os costumes, entretanto, mudam, e o feng shui se mantém em dia com os costumes e reflete o mundo em que vivemos agora. Hoje em dia, considera-se perfeitamente correto que o pai e a mãe se sentem lado a lado.

Queremos encorajar o ch'i a entrar nessa sala, e criar um ambiente agradável para que a família e os amigos façam suas refeições e desfrutem da companhia uns dos outros. A atmosfera deve ser íntima e propícia a uma boa conversa. Os chineses levam em consideração não só a comida que alimenta o corpo, mas também aquela que alimenta o espírito. Conseqüentemente, as refeições, sempre que possível, devem ser feitas num ambiente agradável.

Se esse aposento estiver localizado num canto da casa em que haja janelas dos dois lados, uma quantidade ainda maior de ch'i entrará na sala. Tradicionalmente, considera-se o sul a melhor localização para a sala de jantar, e por isso é um gesto de gentileza colocar os convidados de frente para essa direção.

Uma sala de jantar com duas entradas é considerada boa, já que isso estimula o fluxo do ch'i. É melhor, entretanto, que as duas portas não estejam uma em frente à outra. Caso estejam, a sala corre o risco de se tornar nada mais do que um corredor entre as diferentes partes da casa.

Vigas no teto criam shars, e devem ser evitadas tanto quanto possível. É melhor que elas cruzem a sala de jantar na direção do comprimento. Procure não colocar ninguém sentado exatamente sob uma viga. Uma boa solução para isso é pendurar duas flautas de bambu bem no centro da viga.

Muitas casas não têm uma sala de jantar separada. A área das refeições, muitas vezes, é parte da sala de estar ou da cozinha. Nesses casos, um biombo pode dar a ilusão de uma sala separada (Figura 5A). É possível, também, criar essa ilusão com uma planta ornamental. Essas divisões também permitem que o ch'i flua mais livremente, e faz com que seus convidados se sintam mais à vontade.

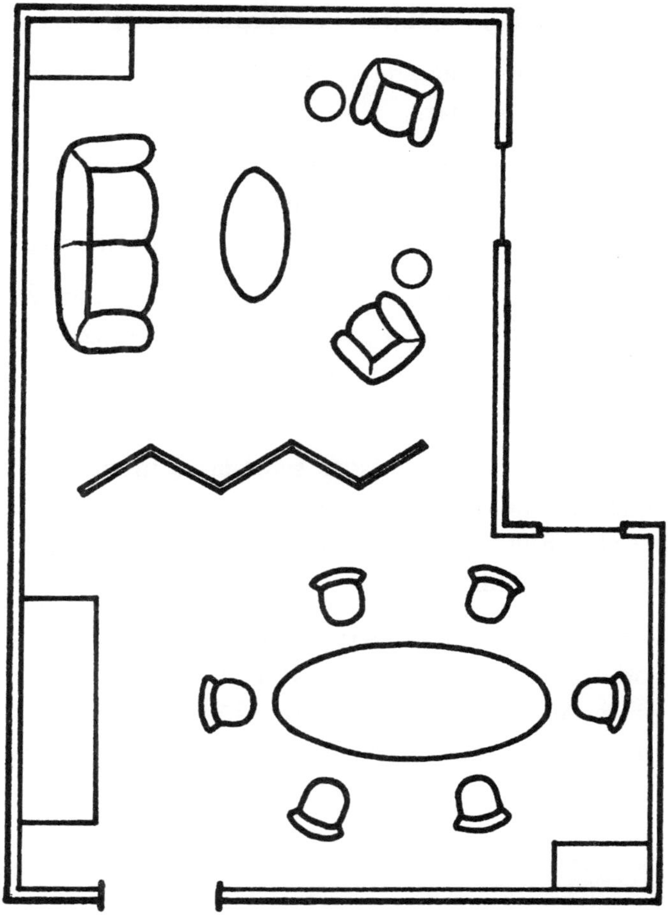

Figura 5A

Dicas do Feng Shui

44. A sala de jantar deve ser ou um aposento separado ou uma parte bem definida de outro aposento.

45. A sala de jantar não deve estar num nível mais baixo do que a sala de estar.

46. O melhor formato para uma mesa de jantar é o redondo, oval ou octogonal. Assegure-se de que as mesas quadradas ou oblongas tenham cantos arredondados.

47. Pendure um espelho grande na sala de jantar. Esse é um dos melhores aposentos da casa para se colocar um espelho, já que simbolicamente duplica a quantidade dos alimentos que estão à mesa.

48. Não deixe que as pessoas sentadas à mesa se sintam apertadas pelo excesso de móveis. Isso restringe o valioso ch'i. Evite quinquilharias. Quanto mais simples for essa sala, melhor.

49. Ainda que você more sozinho, coloque pelo menos três cadeiras em torno da mesa. Procure não se sentar sempre no mesmo lugar a cada refeição. Se todas as cadeiras forem utilizadas, você estimulará visitas à sua casa.

Capítulo 6

O Quarto de Dormir

Passamos cerca de um terço da vida no quarto de dormir. Nesse quarto, nós queremos descansar e adormecer facilmente. Por isso, queremos que ele tenha o máximo de conforto e seja o mais repousante possível. Naturalmente, nossos momentos mais vulneráveis são aqueles em que estamos dormindo. O quarto de dormir, portanto, deve ter algumas características diferentes dos outros aposentos, e, em certo sentido, precisamos nos sentir protegidos e seguros nele.

Do ponto de vista do feng shui, quartos de dormir quadrados ou retangulares são os melhores. Esses formatos eliminam os shars causados por quartos irregulares, e permite que o ch'i flua calma e facilmente.

Deve haver apenas uma entrada no quarto. Quando há duas portas, o quarto pode ser usado como passagem e os ocupantes não terão um sono muito tranqüilo.

O teto do quarto não deve ser inclinado ou ter vigas expostas. Coloque a cama sob a parte mais elevada do teto, caso ele seja inclinado, e coloque duas flautas de bambu em qualquer viga que esteja à vista.

É importante que, durante o dia, você deixe que entre uma boa quantidade de ch'i no quarto de dormir, para sustentá-lo durante a noite. Podemos fazer isso deixando as janelas abertas durante o dia para que entre o máximo possível de luz dentro dos quartos. A luz solar é muito benéfica, mas não queremos que ela caia direto sobre a cama. Isso porque acredita-se que a luz direta do sol ativa excessivamente a cama, tornando difícil conciliar o sono.

O quarto de dormir é também o lugar para o qual você pode se retirar e ficar sozinho, sentindo-se totalmente seguro e protegido. Deveríamos emergir de nossas horas de introspecção e tranqüilidade sentindo que estamos revigorados e refeitos. E precisamos de ch'i suficiente para poder fazer isso.

O quarto de dormir é usado para diversos outros propósitos, além de dormir. Por exemplo, muitas pessoas estudam no quarto. Um conhecido meu está escrevendo um romance no quarto, já que esse é o único lugar onde ele tem espaço suficiente para colocar o computador. Se for esse o caso, é preciso enviar mais ch'i ainda para o quarto, a fim de estimular o cérebro de seu ocupantes. Um cristal suspenso sobre a escrivaninha ativará o ch'i nas imediações. Também é uma boa idéia separar o local de dormir da área de trabalho. Isso é especialmente importante caso se utilize equipamento de ginástica no quarto. Para assegurar um sono tranqüilo, você deve manter a cama separada dos aparelhos, equipamentos de escritório e de outros itens que geralmente não fazem parte de um quarto de dormir.

A cama deve estar colocada numa posição na qual seus ocupantes possam ver quem entra no quarto. O ideal seria que eles não precisassem voltar a cabeça mais do que 45° para ver quem está entrando (Figura 6A). Geralmente, o melhor é quando a cama está numa posição diagonal com relação à porta. Para que seja possível ver, da cama, quem está entrando no quarto, pode-se usar um espelho.

A cama deve estar encostada na parede para que tenha um apoio. A melhor posição é aquela em que a cabeceira da cama está em contato com a parede (Figura 6B). Se a cama não estiver em contato com a parede, as pessoas que nela dormem vão se sentir irrequietas e incomodadas. Tampouco queremos que a cama esteja contra uma janela, porque o ch'i sai por ela, e você talvez não receba o suficiente durante a noite. É melhor ter uma mesa ou uma cadeira entre a cama e a janela.

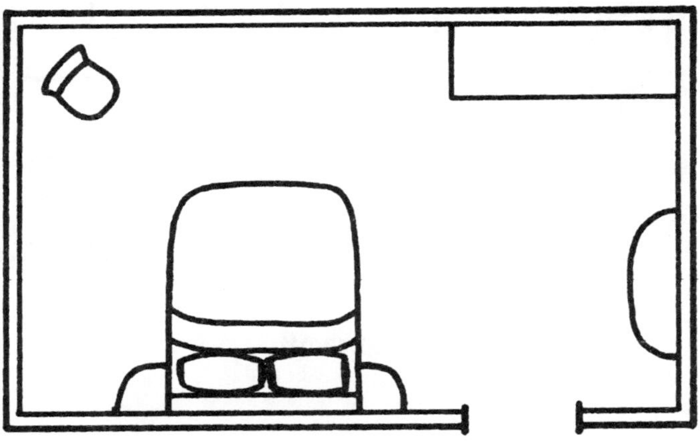

Figura 6A

Os pés da cama não devem ficar voltados para a entrada do quarto (Figura 6C). Essa posição faz com que as pessoas que entram no quarto pensem na posição do caixão de defunto. No passado, os chineses eram enterrados de acordo com o horóscopo de cada um. Algumas vezes, isso significava que eles não podiam ser enterrados até por um mês depois de terem morrido. Os caixões se alinhavam no pátio da frente dos templos, esperando pelo dia certo para o enterro. Os pés da cama voltados para a porta é uma reminiscência desse costume.

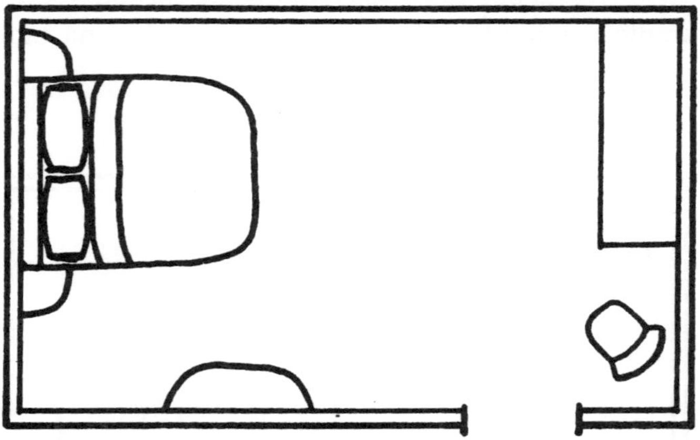

Figura 6B

A cama não deve ser colocada sob uma viga exposta (Figura 6D). A pessoa que dormir nessa posição provavelmente terá problemas de saúde na parte do corpo que fica sob a viga. Por exemplo, se a viga cruza o peito da pessoa, ele ou ela pode desenvolver problemas nessa parte do corpo. Acredita-se que vigas longitudinais sobre a cama podem criar desarmonia entre o casal e acabar levando-o à separa-

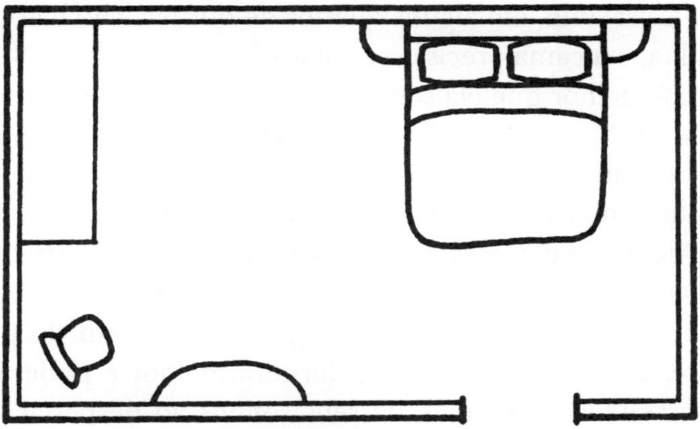

Figura 6C

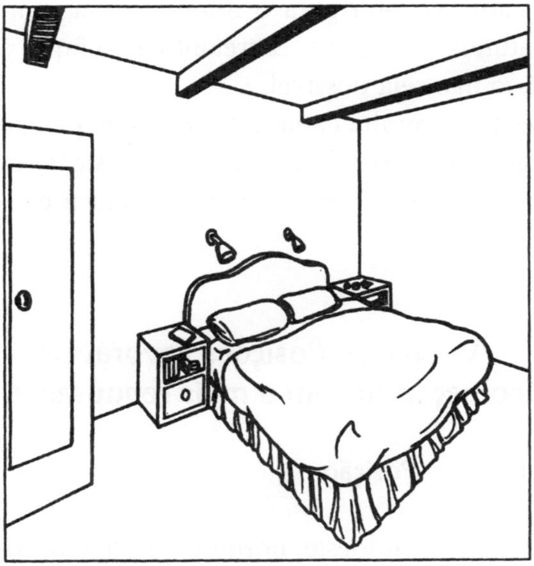

Figura 6D

ção. Entretanto, em alguns quartos de dormir, não há outra escolha, e a cama precisa ser colocada sob uma viga. Nesse caso, é melhor que ela seja vertical à cama, já que isso não causa problemas de saúde. Entretanto, por causa da possível desarmonia conjugal, deve-se solucionar o problema pendurando duas flautas de bambu no centro da viga.

Alguns praticantes do feng shui dizem que a cabeceira da cama deve estar voltada para o norte. Dizem que assim você se beneficiará da força magnética que vem do pólo Norte, e, conseqüentemente, dormirá melhor e poderá se lembrar mais facilmente de seus sonhos ao despertar. Fiz experiências nesse sentido, e não descobri nenhuma diferença notável na qualidade do sono. Em todo o caso, se a planta do quarto permitir, é uma boa idéia colocar a cabeceira da cama voltada para o norte, para acompanhar os fluidos naturais da energia. Entretanto, não fique preocupado caso isso não seja possível.

Na verdade, minha cama está colocada de acordo com o meu trigrama pessoal. Existem quatro posições favoráveis, ditadas pelo trigrama pessoal, para colocar a cabeceira da cama.

As Quatro Posições Favoráveis (começando com a mais repousante)

Trigrama	Posição
K'un	Sudoeste, noroeste, oeste e nordeste
Ken	Nordeste, oeste, noroeste e sudoeste
Chien	Noroeste, sudoeste, nordeste e oeste

Tui	Oeste, nordeste, sudoeste e noroeste
Sun	Sudeste, leste, sul e norte
Chen	Leste, sudeste, norte e sul
Li	Sul, norte, sudeste e leste
K'an	Norte, sul, leste e sudeste

Naturalmente, se duas pessoas compartilham da mesma cama, talvez tenham de entrar num acordo ao escolher a melhor direção. Se você é um K'un, por exemplo, e seu companheiro é um Ken, a melhor direção para ambos seria o oeste. Faça experiências com isso tudo, mas não coloque sua cama numa posição estranha apenas para que fique de frente para o local mais repousante. A estética tem um papel bem importante no feng shui e é bem possível que você já tenha colocado a cama na posição correta por pura intuição.

A cama não deve ser tirada do lugar quando a mulher estiver grávida. Isso porque os chineses acreditam que espíritos do tamanho de uma molécula, conhecidos como *ling*, vivem sob a cama, esperando para dar ao bebê ainda não nascido o sopro de vida (ch'i). Não se deve varrer ou limpar embaixo da cama durante a gravidez.

Nos outros aposentos, pode-se usar quantos espelhos se quiser; mas no quarto de dormir eles devem ser usados com parcimônia. Os espelhos são benéficos nesse aposento, mas nunca diretamente em frente aos pés da cama. Isso porque, quando acordam no meio da noite, as pessoas podem ver o próprio reflexo no espelho e pensar que se trata de um fantasma. Espelhos colocados nessa posição também provocam tensão no relacionamento conjugal.

O quarto principal deve estar localizado o mais longe possível da porta. Isso faz com que os moradores se sintam simbolicamente seguros, o que significa que dormirão melhor. Também convém que o quarto esteja protegido do barulho da rua.

Seu quarto deve ser um lugar onde você possa descansar completamente. Não coloque ali objetos que façam você se lembrar de coisas que precisam ser feitas fora do quarto. A primeira coisa que você olhar ao acordar de manhã deve ser algo agradável e bonito. Você tem sorte se pode acordar e ver uma paisagem bonita pela janela. Se a primeira coisa que você vê ao acordar é uma pilha de roupa suja ou o trabalho que você trouxe do escritório para fazer em casa, você não começará o dia muito bem. Assegure-se de que coisas assim não fiquem bem à sua vista ao despertar.

No Ocidente, é comum que os quartos fiquem alinhados ao longo de um corredor. O corredor pode causar um shar, ou uma flecha envenenada, que aponta diretamente para o quarto que fica no final do corredor. Muitas portas abrindo-se para o mesmo corredor também podem criar discórdias e frustração.

Assegure-se de que não existem shars exteriores apontando para a janela de seu quarto. O remédio para isso é colocar cortinas pesadas. Contudo, se elas ficarem fechadas o tempo todo, é preciso que se coloque luz extra no quarto, para encorajar o ch'i.

Cuidado, porque a porta do quarto também pode causar um shar, se a quina estiver apontando diretamente para a cama (Figura 6E). Para evitar que isso aconteça, procure deixar a porta sempre completamente aberta. Talvez você tenha de mudar alguns móveis, se o shar não puder ser eliminado. Uma outra alternativa é pendurar um espelho do outro lado do quarto, para refletir a quina pontiaguda de volta para a porta.

Figura 6E

Outros shars internos podem surgir, caso o quarto tenha um formato irregular. Um quarto em forma de L, por exemplo, contém um grande shar na intersecção das duas paredes, apontando para o meio do quarto. Assegure-se de que a cama não está bem na linha desse shar, já que os seus ocupantes poderão sofrer problemas de saúde como resultado. A solução para isso é pendurar um cristal ou um mensageiro dos ventos, no teto, mais ou menos a uns doze centímetros de distância do shar. Uma solução alternativa seria colocar espelhos nas duas paredes que criam o shar.

Muitas vezes, os quartos de dormir são usados para guardar móveis e objetos que não estão sendo usados. Esse hábito confere ao ambiente um ar de desordem que afeta negativamente o ch'i. Mesmo quando os itens estão fora de vista, ainda podem perturbar o fluxo do ch'i. Por exemplo, objetos guardados debaixo da cama criam um ch'i negativo que pode afetar o relacionamento conjugal dos moradores. Também acredita-se que você pode sonhar com as coisas que estão guardadas debaixo da cama.

No quarto de dormir, as cores certas para o carpete e a parede estão relacionadas com o elemento das pessoas que o usam. Isso se aplica especialmente aos quartos das crianças, onde convém que as cores se harmonizem com os elementos que precedem imediatamente os delas no ciclo dos elementos.

Se o elemento da criança é fogo, a cor certa é o verde.

Se o elemento da criança é terra, a cor certa é o vermelho.

Se o elemento da criança é metal, a cor certa é o amarelo.

Se o elemento da criança é água, a cor certa é o branco.

Se o elemento da criança é madeira, a cor certa é o azul ou o preto.

É preciso que se encontre uma solução, caso o esquema de cores do quarto de seu filho não esteja de acordo com o elemento dele. É claro que o melhor será mudar o esquema de cores, mas isso pode ficar muito caro, especialmente se a cor discordante for a do carpete.

Se o elemento da criança é o fogo, as cores discordantes são o preto e o azul. Adicione verde ao esquema de cores para solucionar o problema.

Se o elemento da criança é terra, a cor discordante é o verde. Adicione o vermelho ao esquema de cores para solucionar o problema.

Se o elemento da criança é o metal, a cor discordante é o vermelho. Adicione amarelo ao esquema de cores para solucionar o problema.

Se o elemento da criança é a água, as cores discordantes são o amarelo e o marrom. Adicione branco ao esquema de cores para solucionar o problema.

Se o elemento da criança é a madeira, a cor discordante é o branco. Acrescente azul ao esquema de cores para solucionar o problema.

No quarto de adultos, vamos precisar de uma mistura de cores que se relacione com o elemento pessoal do casal e com o elemento que precede o de ambos.

Não é uma idéia muito boa usar um quarto localizado no canto direito diagonalmente oposto à porta de entrada como um quarto de criança. Esse é o setor de Casamento, e é a posição mais favorável para o quarto do casal. Se esse quarto for reservado a uma criança, ela desenvolverá o hábito de dirigir a casa.

O quarto da criança também não deve ficar de fora do ba-guá que foi colocado sobre a planta da casa. Um quarto isolado dessa forma fica desprotegido. Se não há nenhuma outra alternativa, um espelho, colocado na parede que faz a ligação com o resto da casa, pode servir para colocar o quarto desprotegido simbolicamente na área do ba-guá.

Se a sua vida amorosa precisa de um estímulo, remova todos os brinquedos infantis do quarto. Isso pode incluir ursinhos, modelos de aviões ou qualquer coisa de seu tempo de criança. Remova qualquer coisa que esteja relacionada com um casamento anterior. Seu novo parceiro não vai gostar de ver essas coisas. Coloque a cama numa posição em que ela seja acessível de ambos os lados. Pendure um grande espelho redondo na parede. Espelhos redondos são melhores do que os quadrados ou retangulares, uma vez que as pontas poderiam criar shars. Remova do quarto qualquer coisa que faça você pensar em trabalho. É difícil ser romântico quando você está olhando para uma pilha de roupa suja.

As crianças decoram o quarto delas de modo estimulante e criativo, que refletem seus *hobbies* e interesses do momento. Mesmo se você já for adulto, ainda pode fazer a mesma coisa com seu quarto. O quarto de dormir não precisa ser sem graça, nem apenas funcional. Deixe que ele expresse um pouco do seu entusiasmo. Você dormirá mais contente, seus sonhos serão mais agradáveis e você acordará sentindo-se mais descansado pela manhã.

Dicas do Feng Shui

50. A posição ideal para a cama é a diagonal com relação à porta do quarto e o mais longe possível dela.

51. Os pés da cama não devem estar de frente para a porta do quarto.

52. Assegure-se de que você pode ver qualquer um que entre no quarto, sem precisar virar a cabeça mais do que 45°. Use um espelho, se necessário, para poder ver com facilidade se alguém está entrando.

53. A cama não deve ser colocada sob uma viga. Se não há outra alternativa, é melhor que a viga fique paralela à cama, em vez de cruzá-la.

54. Se possível, encoste a cama a uma parede sólida e não sob uma janela.

55. Um espelho redondo pode dinamizar seu relacionamento.

56. Não coloque um espelho diretamente junto aos pés da cama. Se você acordar durante a noite, poderá se assustar com o seu próprio reflexo.

57. A cama deve ter acesso por ambos os lados, caso você queira atrair um parceiro.

58. Deixe um espaço razoável embaixo da cama para que o ch'i possa fluir. Queremos que o ch'i circule em cima, embaixo e pelo menos de um dos lados da cama. Se você costuma guardar coisas sob a cama, você provavelmente está restringindo o fluxo do ch'i, e deixando de aproveitar ao máximo o conforto que a cama pode oferecer.

59. Não coloque uma penteadeira bem em frente à porta, pois isso pode causar problemas no relacionamento. A penteadeira geralmente tem um espelho, que nessa posição refletirá o ch'i benéfico do quarto, criando apatia e falta de interesse nas pessoas que o utilizam.

60. Uma planta natural pode estimular a energia no quarto de dormir. Porém, não coloque plantas demais, já que elas podem absorver todo o ch'i do quarto.

Capítulo 7

O Banheiro

O banheiro é um aposento extremamente importante na casa, pois é o local onde a água (o dinheiro) escoa para fora. Deve-se deixar o ch'i fluir calmamente para dentro e para fora desse local, sem nenhum impedimento. Sendo assim, banheiros muito decorados não são bons, do ponto de vista do feng shui, já que tendem a segurar o ch'i dentro do aposento. Na verdade, os chineses preferem banheiros relativamente simples e funcionais, com poucos ornamentos ou decorações. Ainda assim, você deve fazer com que ele seja agradável, com cores delicadas, e um ou dois objetos de decoração. Um vaso de planta também pode encorajar o ch'i a entrar no banheiro. Toalhas verdes ou azuis podem ajudá-lo a relaxar, ao mesmo tempo que estimulam o fluxo da água pelos canos. O azul, uma cor relacionada com o elemento água, também é uma boa cor feng shui para o banheiro e para o lugar em que está o vaso sanitário.

No banheiro, cores claras são melhores do que cores escuras. Várias tonalidades de azul, representando o elemento água, são uma boa escolha. Entretanto, qualquer cor funciona bem nesse local, exceto o vermelho (já que água e fogo opõem-se um ao outro). Um amigo meu, de Fênix, tem um banheiro branco, mas a cortina do chuveiro dá um tom colorido convidativo. Ela é azul, com peixinhos nadando por toda parte. Como é a única cor do banheiro, você não pode deixar de notá-la. Isso dá uma afirmação silenciosa extremamente eficaz cada vez que o banheiro é usado.

O único caso em que o banheiro não deve ser simples e puramente funcional é quando ele está localizado no setor de Casamento do seu lar. Se esse for o caso, faça com que ele seja o mais atraente e lindo possível. Disponha aí seus ornamentos favoritos e pendure um cristal no teto, para encorajar o ch'i. Seria ideal se esse banheiro tivesse uma janela, que permitisse a entrada da luz e do ch'i. Isso porque o banheiro é considerado um lugar negativo no feng shui. Não queremos que todo o amor e o romance sejam levados embora pela descarga do vaso sanitário. Salientando e embelezando esse aposento, vamos estar encorajando o ch'i a entrar, solucionando o que normalmente seria uma situação negativa.

Se o banheiro está situado no meio da casa, na área da Sorte, isso enviará ch'i negativo para toda a casa. Também estará enviando toda a sua sorte pela descarga. Caso o vaso esteja nesse local, ele passa a ser conhecido como um vaso "morto". O remédio para isso é colocar espelhos em todas as quatro paredes internas do banheiro, o que simbolicamente faz com que a peça desapareça. É também uma boa idéia colocar um espelho na parte de fora da porta do banheiro.

Os outros locais desfavoráveis para o banheiro são o sudoeste, o nordeste, o sul, e ao lado ou em frente da porta de entrada. Acredita-se que, caso a privada e o banheiro estejam no sudoeste e nordeste da casa, a saúde dos moradores sofrerá. Se está localizado no sul, eles vão brigar, e não se darão bem uns com os outros. Se está ao lado ou em frente da porta de entrada, acredita-se que os moradores terão uma má reputação. Essas são interpretações tradicionais, e existe uma solução para cada uma delas. Um espelho do lado de fora da porta reflete o ch'i para longe do banheiro.

O banheiro também não deve ficar no fim de um longo corredor, já que isso cria um shar que vai diretamente na direção do aposento. Isso significa que todo o ch'i benéfico que entra pela porta da frente termina no vaso sanitário! O remédio para isso é manter a tampa do vaso sanitário sempre fechada, como também a porta. Também ajudaria colocar um espelho na parte de fora dessa porta, para fazer com que o aposento simbolicamente desapareça.

Os espelhos são necessários no banheiro, é claro. Mas evite azulejos espelhados, pois eles dão uma impressão de rede que restringe o fluxo do dinheiro.

Tradicionalmente, o lado norte da casa é considerado o melhor para a localização do banheiro.

Esse aposento não deve ser colocado nos setores da Abundância, do Sucesso ou da Carreira da casa. Os locais da Morte, do Desastre, dos Seis Shars e dos Cinco Espíritos são, todos eles, bons lugares para o banheiro.

É melhor que o vaso sanitário e o banheiro estejam em aposentos separados. Caso estejam juntos, talvez você possa separá-los com um muro baixo ou um biombo.

O banheiro precisa estar sempre limpo. Cheiro desagradável, torneira gotejando, janela e porta emperradas e qualquer outro problema nesse aposento criam um ch'i negativo que pode afetar negativamente a saúde e o bem-estar de todos na casa.

Os canos de água devem estar escondidos, caso isso seja possível. Canos expostos permitem que você veja a água – que é sinônimo de prosperidade – ir pelo ralo abaixo. Em conseqüência disso, esse aposento não deve se situar nas partes norte ou sul da casa. Esses são os setores da Carreira e da Abundância.

Mantenha a porta do banheiro sempre fechada se ele puder ser visto da porta da frente, da sala de estar, da cozinha ou por alguém que esteja deitado na cama. Acredita-se que um vaso sanitário que esteja de frente para a porta de entrada manda pela descarga todo o ch'i que entra na casa. Os chineses preferem manter essa porta sempre fechada, de qualquer maneira, como uma forma de etiqueta. Eles também mantêm a tampa do vaso fechada, já que não gostam de ver seu dinheiro ir com a descarga.

Lavabos e banheiros que fiquem no andar superior não devem localizar-se sobre a porta da frente ou sobre a cozinha. Essas duas localizações estão relacionadas com problemas de família. Um vaso sanitário sobre a cozinha significa que a água e o esgoto estão escoando diretamente pelo lugar mais importante da casa.

Banheiros de suíte não são recomendados pelos praticantes do feng shui, pois eles espalham ch'i negativo pelo quarto de dormir. O remédio para isso é usar exaustores, bem como ventilação natural, para tirar o ch'i negativo do quarto de dormir. Superfícies de cerâmica também neutralizam os efeitos maléficos do vaso sanitário da suíte. É interessante notar que superfícies de cerâmica são freqüentemente utilizadas em banheiros no mundo inteiro. Talvez as pessoas saibam inconscientemente que essas superfícies podem eliminar o ch'i negativo.

Naturalmente, existe remédio para qualquer problema causado pela posição do banheiro e do vaso sanitário. Um espelho do lado de fora da porta eliminará qualquer problema causado pelo fato de eles estarem de frente para a porta principal ou sobre a mesma, no andar de cima.

Dicas do Feng Shui

61. O vaso sanitário precisa ficar o mais escondido possível.

62. O cômodo em que está o banheiro e o vaso sanitário não deve abrir diretamente para a porta do quarto principal, situado do lado contrário do corredor.

63. O banheiro não deve ficar no fim de um longo corredor.

64. Portas de banheiros e de lavabos devem permanecer fechadas.

65. Use um biombo ou um muro baixo para separar o vaso sanitário e o banheiro, caso eles fiquem no mesmo aposento.

66. O vaso sanitário nunca deve ficar no centro da casa. Isso espalha ch'i negativo pela casa toda.

67. O vaso sanitário não deve estar próximo à porta da frente. Se estiver, o ch'i negativo do vaso vai entrar em conflito com o ch'i positivo que entra na casa.

Capítulo 8

A Sala de Estar

A sala de estar deve ser convidativa, além de refletir a personalidade e os interesses dos moradores. Você e seus convidados devem sentir-se inteiramente à vontade e confortáveis nessa sala. Em muitas casas, a sala de estar é usada somente em ocasiões especiais. Nesse caso, uma importante parte da casa não está sendo utilizada de maneira apropriada, o que faz com que outras áreas de sua vida fiquem prejudicadas. Faça com que essa sala seja confortável e agradável e utilize-a com regularidade. Se já não está fazendo isso, logo que o fizer, você notará uma diferença bem grande na sua qualidade de vida.

O ch'i deve fluir livremente pela sala de estar. Isso encoraja os membros da família a passar aí momentos agradáveis na companhia uns dos outros. O ch'i também faz com que seus convidados se sintam à vontade e confortáveis.

A colocação dos móveis também deve ser feita de tal forma que permita o livre fluxo do ch'i, inspirando uma sensação de aconchego e amizade. As pessoas precisam ter espaço para se movimentar livremente em torno dos móveis. Arranjos em forma de L não são muito bons, a menos que os móveis estejam num canto da sala. A razão disso é que eles criam um shar quando estão localizados no meio do aposento.

Os móveis devem ser dispostos com cuidado. Se houver mais móveis de um lado do cômodo do que de outro, ele parecerá desequilibrado e torto. Isso pode levar a uma sensação de aperto. Qualquer um que se sentar nessa sala vai se sentir um pouco desconfortável, sem entender a razão. As pessoas também se sentem desconfortáveis quando estão sentadas de costas para a porta. Por isso, deve-se dispor cadeiras e sofás de forma que as pessoas não precisem ficar de costas para a porta. Caso a sala não permita tal coisa, é considerado de bom tom oferecer aos seus convidados os assentos que estão de frente para a porta principal da sala, enquanto você se senta na que está de costas para a entrada. O ideal seria que o dono da casa se sentasse de frente para a porta principal da sala. As pessoas que estão recebendo os convidados não devem sentar-se de costas para a janela, já que assim elas não teriam nada que as apoiasse. Uma parede sólida atrás delas aumentaria a autoconfiança, e faria com que ficassem mais abertas e hospitaleiras.

A sala de estar deve ficar próxima à porta da frente, e no mesmo nível desta. Caso esteja num nível mais baixo, a solução seria pendurar um cristal no centro do cômodo para encorajar o ch'i a subir. Vasos de plantas também são uma boa solução.

Não coloque sofás ou cadeiras sob uma viga exposta, já que os shars no teto podem ser opressivos e gerar discórdia. Duas flautas de bambu, penduradas na viga, podem solucionar o problema, caso não haja outra alternativa a não ser colocar os móveis sob a viga.

A lareira cria um ponto focal na sala; nos meses de inverno, gera calor e alegria. Entretanto, ela também pode deixar o ch'i escapar chaminé acima. O remédio para isso é pendurar um espelho sobre a lareira, a fim de refletir o ch'i de volta para o aposento.

Em muitos lares, todos os móveis estão voltados para a lareira. Ainda que isso faça sentido durante o inverno, seria melhor, do ponto de vista do feng shui, se pelo menos alguns dos assentos estivessem de frente uns para os outros, para estimular o diálogo. Naturalmente, os assentos não devem ser colocados perto demais do fogo, a ponto de deixar as pessoas com calor. Quando isso acontece, a conversa também pode ficar quente demais.

É também muito comum colocar todos os assentos de frente para a televisão. A TV cria um ch'i positivo na sala, porque produz luz e som, mas também pode acabar com o diálogo.

Os móveis da sala devem ser uma mistura de yin e yang. Desse modo, alguns itens deveriam ter cantos quadrados e outros ter cantos arredondados. Alguns praticantes de feng shui insistem que todos os móveis deveriam ter cantos arredondados, mas isso não é muito prático e concentraria os pensamentos das pessoas no dinheiro. É melhor criar uma mistura harmoniosa de móveis que lhe agradam.

A sala de estar deve ser bem iluminada, mas assegure-se de que as luzes não sejam fortes ou brilhantes demais. Equilibre as luzes do teto com abajures e luminárias, para iluminar diversas partes da sala. Coloque um ba-guá sobre a planta da sala, para determinar quais as posições que você gostaria de ativar. O setor da Abundância é especialmente forte na sala de estar. Assegure-se de que esse setor esteja bem iluminado, a fim de colher as recompensas que você merece. Este é também um excelente lugar para objetos pessoais importantes, um vaso de plantas ou a televisão.

Talvez você queira organizar seus móveis de modo a transformar o setor da Abundância no ponto focal da sala. Outras áreas que devem ser destacadas dessa maneira são o setor do Casamento e o da Família. Uma outra alternativa, caso a sala não seja muito grande, seria colocar assentos confortáveis em todos esses setores, arranjados de forma a estimular conversação.

Quando duas portas estão diretamente em frente uma da outra, em lados opostos do aposento, cria-se um ch'i negativo na sala de estar. Caso seja possível, utilize um biombo para encobrir uma das portas. Mensageiros dos ventos ou cristais suspensos, ao lado de uma das portas, também são uma solução. Uma porta e uma janela frente a frente uma da outra também criam um ch'i negativo, bem como duas janelas de lado opostos. O remédio seria manter as cortinas ou venezianas de uma das janelas sempre fechadas.

Caso as portas de lados opostos formem uma passagem usada durante o tempo todo, procure arranjar os móveis de modo a que o trânsito de pessoas não afete a conversa dos que estão na sala. Se as portas estão perto de uma parede, um espelho removerá os efeitos shar da linha reta que corta o aposento.

A Sala de Jogos

A sala de jogos deve ser confortável e informal. Os móveis devem ser escolhidos sem grandes preocupações e dispostos de modo a favorecer o conforto e a comunicação entre as pessoas. Esse aposento também deve estar livre de quinquilharias. Muitas vezes, a sala de jogos também serve para guardar objetos. Isso não vem a ser um problema, desde que esses objetos estejam guardados fora da vista e bem arrumados.

É bem provável que o uso desse aposento vá mudando à medida que os membros da família crescem. Uma mesa de pingue-pongue pode dar lugar a uma mesa de bilhar, por exemplo, quando os filhos crescerem.

Cada área desse cômodo está relacionada com um membro da família, como o ba-guá mostra. Objetos que pertençam ao filho mais velho, por exemplo, devem ser guardados ao leste. Objetos que pertençam à filha mais moça devem ficar no oeste, e assim por diante. Os objetos sem uso guardados nas diversas partes da peça estarão relacionados com as complicações da vida da pessoa afetada por essa direção.

Dicas do Feng Shui

68. A "posição de comando" da sala de estar fica no canto oposto ao da porta principal, do outro lado da sala. Essa é a melhor posição para o dono da casa, já que significa que ele está no controle.

69. Cantos escuros na sala de estar afetam negativamente a área de vida indicada pelas Aspirações do Ba-guá. Use abajures ou luminárias onde for necessário, para iluminar toda a sala.

70. Disponha os móveis de um modo bem equilibrado. Se muitos móveis forem colocados em um só lado da sala, ela ficará desequilibrada, e esse lado ficará pesado e apertado.

71. Disponha os móveis de modo que as pessoas possam se movimentar livremente pela sala, sem que se sintam como se estivessem numa corrida de obstáculos.

72. Os assentos não devem ficar de costas para nenhuma entrada. As pessoas que se sentarem nesses lugares se sentirão inseguras e sem proteção.

73. A sala de estar deve parecer aconchegante e convidativa. Caso você tenha cadeiras e sofás confortáveis, luz suficiente e quadros agradáveis, ou objetos de decoração para os quais se possa olhar, isso ajudará bastante.

74. Seus convidados vão se sentir mais dispostos se estiverem de frente para o sul ou leste. A luz solar deixa as pessoas mais entusiasmadas e falantes.

Capítulo 9

As Cores no Lar

Os efeitos poderosos das cores são conhecidos há milhares de anos. Seres humanos primitivos utilizavam as cores para se proteger do mal e aumentar a sorte e a virilidade. Os antigos chineses usavam as cores como símbolos e para representar as estações. O verde simboliza a madeira, e representa a primavera. O vermelho simboliza o fogo, e representa o verão. O amarelo e o laranja representam o sol lançando seus raios cálidos sobre a Terra; eles representam o fim do verão. O branco simboliza o metal, e representa o outono. O azul simboliza a água, e representa o inverno.

As cores exercem sobre nós efeitos positivos ou negativos. Faber Birren, psicólogo especializado em cores, relata que pessoas normais tendem a apontar qualidades favoráveis nas diferentes cores, mas os neuróticos são mais propensos a notar o que é desfavorável.[1]

Todos nós reagimos à cor, quer estejamos conscientes disso ou não. Imagine dormir num quarto vermelho-sangue ou cozinhar uma refeição em uma cozinha preta como piche. As cores conferem um certo clima ao aposento. Algumas cores nos estimulam, outras nos irritam, enquanto outras nos acalmam. Fez-se uma experiência interessante há alguns anos, quando prisioneiros violentos foram colocados em celas pintadas de rosa. Essa cor exauriu a agressão dos internos, e eles se tornaram prisioneiros-modelo. Como essa experiência mostra, a cor pode causar efeitos radicais; por isso, precisamos ter cuidado ao escolher e utilizar as cores.

No feng shui, as cores controlam a quantidade de luz e a refletem. A combinação de cor e luz deve proporcionar as melhores condições possíveis para se viver. É melhor escolher o seu esquema de cores nos próprios aposentos, já que o tom das cores costuma mudar quando visto sob uma luz diferente. As luzes quentes, por exemplo, fazem com que as cores quentes fiquem ainda mais quentes, enquanto com as luzes frias acontece o oposto.

Convém, naturalmente, que você tenha na sua casa as cores que se relacionam com o seu elemento e com o das pessoas que moram com você. No entanto, você também deve ter uma variedade de outras cores, simplesmente pelo fato de gostar delas. Cuidado, porém, com as cores que se opõem uma às outras. Por exemplo, muito vermelho não seria uma boa escolha se você pertence ao elemento água, pois fogo e água não se harmonizam.

Escolha as cores do teto com cuidado. Cores claras geralmente são melhores do que as escuras. Para os chineses, tetos escuros nos fazem pensar em nuvens escuras. Cores escuras também impedem que o ch'i se eleve. Como nesse caso o ch'i não circula como deveria, a prosperidade, a saúde e a sorte dos moradores da casa são afetadas.

Cores mais leves são ideais para os quartos de dormir. Qualquer cor que faça com que você se sinta calmo e descansado é a ideal. Rosa, pêssego, creme, gelo, bege, caramelo e verde-claro são cores cálidas e suaves. No quarto, evite cores fortes, tais como vermelho e laranja.

Tons de terra, tais como amarelo, laranja, marrom e verde, são os ideais para a cozinha. Evite o azul nesse local, já que ele está relacionado com o elemento água. Na verdade, de modo geral, o azul não deve ser a cor predominante em aposento nenhum (exceto no banheiro, como mencionei no Capítulo 7), pois ele tende a fazer com que as pessoas fiquem introspectivas e quietas. Ele também faz com que as pessoas fiquem com frio. Já estive em salas de estar nas quais me senti muito bem com uma luz azulada, mas é uma cor muito difícil para se fazer experiências com ela. É melhor colocar o azul na forma de tapetinhos, pinturas, ornamentos ou outros objetos.

Pode-se usar cores de tons pastéis, ou claras, para fazer ambientes pequenos parecer maiores. O vermelho, o amarelo e o azul provocam o efeito oposto e diminuem o tamanho dos aposentos. Quando usadas da forma apropriada, as cores claras podem fazer um canto escuro parecer mais claro. Uma parte da casa que seja bem iluminada e cheia de sol pode ser pintada com cores claras ou escuras. As cores quentes, tais como o vermelho, criam ambientes estimulantes. Ao contrário, as cores frias, tais como o azul, são repousantes e encorajam atividades mais serenas.

Como não poderia ser de outra forma, essas orientações são bastante gerais. Opte pelas cores que lhe agradem. É importante que as cores da sua casa reflitam você e os seus sentimentos. Na maioria das vezes, elas criarão um bom feng shui no seu lar.

É melhor começar a planejar a decoração de um aposento escolhendo a cor que predominará no ambiente. Escolha outra cor para o tapete e para os móveis. Adicione uma terceira cor, seja para se harmonizar com as duas primeiras ou para fazer um contraste. Esse método é simples, mas eficaz.

As Cores e o Ba-guá

Pode-se usar os cinco elementos em conjunto com as Aspirações do Ba-guá, para determinar as cores que podem ser usadas para enfatizar as diferentes áreas do seu lar.

Quando se sobrepõe o ba-guá ao ciclo dos cinco elementos, mantendo o elemento terra no centro, podemos ver uma interessante mistura de cores que pode ser bastante útil.

Área da Abundância	Verde, vermelho, lilás e azul
Área do Sucesso	Vermelho, verde e amarelo
Área do Casamento	Vermelho, rosa e branco
Área da Família	Verde, vermelho e azul
Área dos Filhos	Branco e dourado
Área do Conhecimento	Preto, verde e azul
Área da Carreira	Preto, branco e verde
Área dos Mentores	Branco e preto

Você pode usar esses esquemas de cores nas áreas da casa que se relacionem com o ba-guá, ou pode conservar objetos com essas cores nas áreas em que elas se aplicam.

Aqui estão alguns dos significados gerais das cores, para ajudar você a escolher as cores certas para você e para o seu lar.

Vermelho

Palavras-chave Excitante, energético

O vermelho é a mais forte das cores. Na natureza, o vermelho não é encontrado com muita freqüência; quando o vemos, ele nos transmite uma mensagem muito forte. Na China, o vermelho sempre foi considerado a cor da felicidade e da prosperidade. É uma cor de muito bom augúrio. No Oriente, as noivas ainda usam o vermelho, para atrair sorte do céu. Ovos tingidos de vermelho são distribuídos quando o bebê faz um mês de idade.

O vermelho é inspirador, excitante e dinâmico. Pode nos dar uma enorme confiança. Há mais ou menos vinte anos, uma amiga minha tornou-se gerente de um grande *shopping center*, e foi a primeira mulher a atingir essa posição. Essa escolha provocou muita controvérsia na época, mas logo ficou provado que ela era a pessoa certa para o trabalho. Depois de já estar no cargo há alguns meses, os proprietários do *shopping* pediram que ela fizesse uma palestra para os gerentes de todos os outros *shopping centers* do grupo, a respeito do que deveria ser feito para melhorar os resultados. Minha amiga estava apavorada com a perspectiva, já que nunca havia falado em público, além de ter sido designada para falar a um grupo de pessoas que haviam se oposto à sua indicação para o cargo. Sugeri que ela vestisse alguma peça de cor vermelha, para se sentir mais confiante. Ela comprou um vestido vermelho, com sapatos combinando, e deu uma palestra dinâmica que impressionou a todos. Ela nunca vestira vermelho antes, mas o faz desde então. Hoje em dia, ela chama o vermelho de a "cor do poder".

O vermelho também pode ser a cor da ira. Ele é apaixonado e ardente, e pode criar confusão quando não é usado com sabedoria. O vermelho está relacionado com o elemento fogo.

Deve-se usar o vermelho também nos aposentos que envolvam atividade e excitação. Uma sala de jogos ou uma sala de exercícios são bons exemplos disso. O vermelho aumenta a atividade física e a paixão carnal. Entretanto, pode causar insônia, quando usado no quarto de dormir.

Laranja

Palavras-chave Aspiração, sociabilidade

Laranja é uma cor social e sociável, com muito impulso e energia. Um pouco mais reservado do que o vermelho, é uma cor bem-humorada, agradável – mais exatamente, apaixonada. O laranja está relacionado com o elemento terra.

O laranja cria um pouco da excitação do vermelho, mas é como que apaziguado pelo amarelo. Isso faz com que ele seja uma cor bastante útil em aposentos onde as pessoas se reúnem e batem papo. É interessante notar que o laranja também é mentalmente estimulante, e é uma boa escolha para áreas de estudo.

Amarelo

Palavras-chave Positividade, otimismo

O amarelo é a cor do sol, que lança sobre nós sua energia, que confere vida. O amarelo é jovial, estimulante e alegre.

Como proporciona estímulo mental ele, muitas vezes, é associado à obtenção da sabedoria. O amarelo pode avivar o aposento mais sombrio. Na antiga China, considerava-se o amarelo a cor do riso. O amarelo está relacionado com o elemento terra.

Sempre considerou-se o amarelo como um cor mentalmente estimulante, fazendo com que ele seja útil em áreas de estudos, ou em atividades criativas. Não exagere, porém, já que, em demasia, essa cor pode provocar dores de cabeça. O amarelo anima a atmosfera de um aposento e faz com que as pessoas se sintam felizes e divertidas, sendo, desse modo, uma boa escolha para aposentos destinados a entretenimento.

Verde

Palavras-chave Paz, tranqüilidade

O verde está bem no meio do espectro das cores, e é a cor da natureza. Proporciona sentimentos de paz, harmonia e tranqüilidade. Acalma e revigora a alma. Na China, considera-se o verde a cor da paz e da longevidade. O verde também está relacionado com a primavera, com novas primícias e com o crescimento que advém de tudo isso, além de estar ligado ao elemento madeira.

O verde é repousante e tranqüilizador, fazendo com que ele seja uma cor apropriada para qualquer aposento usado para repouso e para dormir. O verde acalma a mente e elimina a tensão e a ansiedade.

Azul

Palavras-chave Otimismo, segurança

Na antiga China, o azul simbolizava as bênçãos divinas. É a cor do céu. Hoje em dia, ele está relacionado com a consideração, a constância e a verdade. É calmante, introspectivo e responsável. O azul está relacionado com o elemento água.

O azul é tranqüilo e voltado para o íntimo. Pode ser uma escolha muito boa, caso você tenha um aposento especial onde meditar. Os azuis mais fortes, tais como o índigo, favorecem a espiritualidade e a intuição.

Diversas tonalidades de azul podem ser a escolha certa para o banheiro e o lavabo. Isso ocorre porque o azul está relacionado com o elemento água. Um amigo meu tem um banheiro bem diferente, decorado com diversas tonalidades de azul. Isso cria um efeito extremamente marcante.

Violeta

Palavras-chave Espiritualidade, ideais elevados

O violeta usa a energia do vermelho, combinada com o otimismo do azul, para criar uma cor repousante que evoca uma sensação de encantamento. Não é de surpreender que as vestes episcopais sejam dessa cor, pois o violeta está fortemente associado com o lado espiritual da vida. Essa cor estimula a criatividade, o idealismo e o misticismo.

A cor violeta pode ser inspiradora e encher a mente de sonhos de como as coisas poderiam ser. Não é uma escolha muito boa para as salas de entretenimento, mas pode ser muito útil em aposentos onde se requer concentração.

Dourado

Palavras-chave Dignidade, dinheiro

Na China imperial, só o imperador e seus parentes mais próximos tinham permissão para usar mantos dourados. Por isso, ainda hoje acredita-se que o dourado atrai honra e sucesso. O dourado é positivo e otimista, como o amarelo, mas expressa mais dignidade. No Oriente, ele muitas vezes é combinado com o vermelho, para representar sorte e prosperidade. O dourado está relacionado com o elemento metal.

Branco

Palavras-chave Pureza, brilho

O branco do vestido da noiva representa pureza e inocência. Nas artes marciais, aqueles que usam faixa branca são "inocentes", porque estão apenas começando. O branco resulta, basicamente, da ausência de cor. Ele incentiva o amor pelos detalhes e representa uma mente desprovida de inquietações. É interessante notar que, no Oriente, o branco é a cor usada nos funerais. Entretanto, ele também está relacionado com a luz, que atrai o ch'i, algo muito desejável no feng shui. Ainda assim, no Oriente, a cor branca geralmente é acompanhada por alguma outra cor "viva". O branco está relacionado com o elemento metal.

Preto

Palavras-chave Intensidade, formalidade, sofisticação

O preto absorve todas as cores. É a cor da noite. É difícil descansar num aposento que seja completamente preto e branco. O preto é, muitas vezes, considerado sombrio, mas, na verdade, pode nos ajudar a resolver os problemas de forma dinâmica e determinada. O preto está relacionado com o elemento água. No Ocidente, o preto é, muitas vezes, considerado uma cor negativa, até mesmo malévola. No feng shui, entretanto, o preto está relacionado com o dinheiro, e, conseqüentemente, pode ser uma cor bastante positiva.

Você precisa ser uma pessoa cheia de autoconfiança para incluir o preto no esquema de cores da sua casa. Preto e branco é uma combinação marcante, que geralmente funciona melhor num ambiente de trabalho do que em casa. Se você, porém, está querendo afirmar algo, o preto pode funcionar muito bem na sala de estar, nos corredores e no banheiro. Use-o de forma comedida para que ele cause mais impacto.

Todas as cores são yin ou yang, e, como você sabe, somos mais felizes quando nossa casa apresenta um equilíbrio entre os aspectos yin e yang das cores. O vermelho, o laranja, o amarelo e o preto são yang; o verde, o azul e o branco são yin. O roxo tanto pode ser yin quanto yang, dependendo da combinação de azul e vermelho. Se há mais vermelho do que azul, ele é yang; ao contrário, quando há mais azul do que vermelho, ele é yin. As cores yin e yang podem ser combinadas, para criar equilíbrio, mas o ideal é que elas sejam usadas na mesma proporção.

As Cores Sensíveis

O preto e o vermelho são duas das cores mais sensíveis do feng shui. Tradicionalmente, não se deve usar o preto em portões, portas e paredes que estejam de frente para o norte ou o sul. Não se deve usar o vermelho nos portões, portas e paredes que estejam de frente para o leste ou o oeste. Acredita-se que os moradores de lares que não respeitam essas regras terão má sorte.[2] Deve-se utilizar o preto e o vermelho com grande cuidado.

Dicas do Feng Shui

75. A cor estimula e energiza o ch'i. As cores vivas atraem o ch'i e fazem com que o ambiente fique mais vibrante. O vermelho, especialmente, é muito útil, já que sempre foi considerado a cor da sorte e da prosperidade.

76. Evite usar demais uma cor. Quando o chão, as paredes e o teto são da mesma cor, o ambiente pode ficar pesado e deprimente.

77. A cor energiza. Faça experiências com cores diferentes e excitantes, tais como o vermelho, o amarelo e o roxo, em lugares que as pessoas costumam conversar. Cores estimulantes ajudam a promover um bom diálogo.

78. Aproveite a intensidade, a pureza e a jovialidade de cada cor para fazer com que cada quarto seja perfeito para a finalidade a que se destina.

79. Se usar a iluminação de forma criativa, você vai poder aproveitar ao máximo seu esquema de cores. Experimente uma mistura de luzes fortes e suaves em cada cômodo, e repare no efeito que isso tem sobre você e seus convidados.

80. **Pessoas de Fogo**: A madeira se relaciona bem com o fogo. Conseqüentemente, o verde é uma boa cor para você. A água, entretanto, apaga o fogo. Isso significa que você deve evitar o preto e o azul. A terra exaure o fogo. Evite marrons e amarelos.

81. **Pessoas de Terra**: O fogo se relaciona bem com a terra. Conseqüentemente, o vermelho é uma boa cor para

você. A madeira, entretanto, destrói a terra. Isso significa que você deve evitar o verde. O metal exaure a terra. Evite o branco e o dourado.

82. **Pessoas de Metal**: A terra se relaciona bem com o metal. Conseqüentemente, o bege, o laranja e o marrom são boas cores para você. O fogo, entretanto, destrói o metal. Isso significa que você deve evitar o vermelho. A água exaure o metal. Evite o preto e o azul.

83. **Pessoas de Água**: O metal se relaciona bem com a água. Conseqüentemente, o preto e o azul são boas escolhas para você. A terra, entretanto, destrói a água. Isso significa que você deve evitar o laranja e o marrom. A madeira exaure a água. Evite o verde.

84. **Pessoas de Madeira**: A água se relaciona bem com a madeira. Conseqüentemente, o preto e o azul são boas cores para você. O metal destrói a madeira. Isso significa que você deve evitar o branco e o dourado. O fogo exaure a madeira. Evite o vermelho.

Capítulo 10

Os Números no Feng Shui

O feng shui começou com uma tartaruga que saía do rio Amarelo, mais ou menos há cinco mil anos. As marcas do seu casco formaram a base do feng shui, do I Ching, da astrologia e da numerologia chinesas. O quadrado mágico do casco da tartaruga continha todos os números de um a nove. Em conseqüência disso, os números sempre foram uma parte integral do feng shui.

Cada número tem um significado, que pode ser interpretado de vários modos. Se o número de sua casa é 2.368, por exemplo, cada um dos números poderia ser considerado isoladamente ou eles poderiam ser somados até se obter um número de um só dígito. No Ocidente, os numerólogos costumam dar mais atenção ao resultado final da adição de todos os números, reduzindo-os a um só dígito. No Oriente, é mais comum que se avalie cada número em separado.

Os números dividem-se em yin e yang. Os números pares são yin e os números ímpares são yang. Os números yang são considerados mais favoráveis do que números yin, mas é necessário que haja um equilíbrio. Assim, é melhor que sua casa tenha tanto elementos yin quanto yang.

Talvez você já tenha notado que os asiáticos gostam do número oito. A razão disso é que a palavra cantonesa para "oito" tem o mesmo som que a palavra "prosperidade". Eles também gostam do número dois, já que ele tem o mesmo som de "fácil". Mas não gostam do número quatro, já que tem o mesmo som de "morte". Se o número de sua casa for 24, eles interpretariam isso como "morte fácil". Tudo isso porque os chineses usam homófonos para determinar o significado dos números. Caso um número tenha o mesmo som de algo agradável ou desejável, ele é considerado bom. Essa é a razão pela qual o número oito é tão positivo e o quatro tão negativo. Tradicionalmente, o número quatro está relacionado com as características positivas do amor, do sexo e da educação.[1] A seguir, damos as interpretações homofônicas de cada um dos números:

O um soa como "honra", e também como "ganho".
O dois soa como "fácil".
O três soa como "crescimento".
O quatro soa como "morte".
O cinco soa como "nada".
O seis soa como "abundância".
O sete soa como "seguro".
O oito soa como "prosperidade".
O nove soa como "vida longa".

O número das casas, em geral, são compostos de mais de um número, e também nesse caso utilizam-se homófonos. O número 28, por exemplo, soa como "dinheiro fácil". O 58 não é tão favorável assim, pois soa como "sem prosperidade". O 48, ainda que contenha o número quatro, é um bom número, pois soa como "muita prosperidade". Você talvez pense que o quatro e o oito representam "prosperidade de morte", mas, na verdade, essa é uma combinação positiva. A razão disso é que o quatro também representa trabalho duro. Portanto, o 48 significa grande prosperidade devido a trabalho duro e bastante esforço.

O número da casa de um amigo meu em Taiwan é 4. Ele obteve permissão de trocá-lo para 4B, e ele então fez o "B", na caixa de correio, parecer um oito. Ele me contou que sua sorte aumentou assim que fez a mudança. E parece que ele ainda está recebendo o correio! Ele também me contou a respeito de alguém que morava no número 14, e que fez a mesma coisa. "14", em cantonês, soa como "morrer com certeza".

Não é de se surpreender que alguns números, pelo mundo inteiro, valem muito dinheiro em placas personalizadas. Em Hong Kong, o Departamento de Transportes começou a leiloar placas de carros em 1988. No primeiro ano, o número "8" saiu por 650 mil dólares, um recorde, de acordo com o *Livro Guinness de Recordes Mundiais*. Os fundos arrecadados nesses leilões são encaminhados a instituições de caridade, e os donos das placas podem ficar com o número até a morte, quando então elas são leiloadas outra vez.

A placa de carro "2828", que significa "dinheiro fácil, dinheiro fácil", foi vendida por mais de 63 mil dólares.[2] Por sinal, se você visitar Hong Kong, procure ficar hospedado no quarto 2828 do 28º andar do hotel. Você precisará fazer reserva com bastante antecedência para conseguir isso, mas sua estada na cidade será extremamente agradável!

As interpretações numerológicas mais comuns de cada número não têm muita relação com as interpretações homofônicas:

O um representa independência e realização.
O dois representa tato, diplomacia e relacionamentos próximos.
O três representa criatividade e expressão da alegria de viver.
O quatro representa limitações, restrições e progresso lento e constante.
O cinco representa viagem, mudança e variedade.
O seis representa serviço e lar, e responsabilidades familiares.
O sete representa análise, espiritualidade e o aumento do conhecimento e da sabedoria.
O oito representa dinheiro e poder.
O nove representa amor e realização.[3]

Se o número de sua casa for 2457, por exemplo, seu ambiente doméstico é cheio de tato e amor (dois), mas também, de algum modo, é restritivo (quatro). Haveria bastante variedade (cinco) e você desenvolveria gradativamente seu conhecimento e sabedoria (sete).

Pode-se também somar os quatro algarismos e reduzi-los a um só dígito. Por exemplo, 2+4+5+7=18, e 1+8=9. Nove é o número do amor e da realização. Representa também sorte e prosperidade futuras. Soa como se a vida nessa casa pudesse ser, na maior parte do tempo, agradável, ainda que, algumas vezes, você se sinta preso e limitado.

Os nove números também estão relacionados com as cores, com os elementos e com as direções e podem ser usados para representar, quando necessário, qualquer dessas características. Eis os números e cores que se relacionam com cada elemento:

Direção	Número	Cor	Elemento
Norte	1	Azul, Preto	Água
Sul	9	Vermelho	Fogo
Leste	3, 4	Verde	Madeira
Oeste	6, 7	Branco	Metal
Centro	2, 5, 8	Amarelo	Terra

Se quisermos, poderíamos levar isso mais adiante, para incluir todas as oito direções, bem como o centro.

Direção	Número	Cor	Trigrama	Elemento
Norte	1	Preto	K'an	Água
Sudoeste	2	Amarelo	K'un	Terra
Leste	3	Verde	Chen	Madeira
Sudeste	4	Verde	Sun	Madeira
Centro	5	Amarelo	—	Terra
Noroeste	6	Branco	Chien	Metal
Oeste	7	Branco	Tui	Metal
Nordeste	8	Amarelo	Ken	Terra
Sul	9	Vermelho	Li	Fogo

Alguns especialistas em feng shui aconselham que você coloque os números na sua caixa de correio de forma que fiquem inclinados para cima, pois, segundo eles, isso estimulará o ch'i a se elevar. Essa é uma boa idéia, exceto quando o último número é quatro. Quando dispomos os números desse modo coloca-se mais importância no último número. Se esse número for quatro, disponha os números em linha reta, de forma que nenhum deles fique em maior evidência.

Os números têm um papel bem pequeno no feng shui. Fazem, porém, uma grande diferença quando se trata do preço de uma casa à venda. Alguns anos atrás, um construtor, na cidade onde eu morava, construiu várias casas, todas idênticas, num novo lote. A casa de número 8 foi a primeira a ser vendida e a de número 4 foi a última. O mais interessante, porém, foi que, apesar de as casas serem idênticas, o construtor foi forçado a vender a casa de número 4 por um preço abaixo do custo, só para se livrar dela. As outras foram vendidas a um bom preço.

Dicas do Feng Shui

85. Se você for optar por uma casa nova, procure comprar uma cujo número inclua algarismos yin e yang.

86. É uma boa idéia dispor os números na caixa de correio de tal forma que cada número fique um pouco acima do anterior, exceto quando o dígito final for 4.

Capítulo 11

Soluções do Feng Shui

Como você já deve ter notado, o feng shui tem solução para praticamente tudo. Isso é uma sorte, já que eu nunca vi uma casa perfeita, do ponto de vista do feng shui. Na verdade, essa perfeição é difícil de atingir.

Recentemente, pediram-me que visitasse uma casa que havia sido desenhada de acordo com o feng shui. Ela estava de frente para o sul, num penhasco, circundada por água de três lados. A casa fora construída de forma a aproveitar o magnífico cenário do porto, e tinha enormes janelas abertas para as docas ensolaradas. O construtor estava extremamente orgulhoso do que havia feito, e anunciava a propriedade como tendo um "feng shui perfeito". Na verdade, não era de modo algum perfeita para alguém do elemento fogo. No local havia água demais para essa pessoa, e a constante luz solar, atravessando as enormes janelas, davam estímulo mental excessivo.

Os Vários Tipos de Solução

Existem três tipos de solução no feng shui. O primeiro é fazer com que o ch'i flua livremente pela casa. Para isso, é preciso que se evite ou se remova qualquer tipo de quinquilharia, dando ao ch'i espaço suficiente para circular.

Podemos também lançar mão da harmonia e do equilíbrio para solucionar problemas. Por exemplo, uma lâmpada no jardim pode servir para completar simbolicamente uma casa em forma de L. Com isso, podemos dar a ela equilíbrio, e corrigir algo que parecia estar incompleto.

Finalmente, a solução mais comum é acrescentar algo, como um espelho ou um cristal, para corrigir o problema. Pode-se também usar as cores da mesma maneira.

A solução mais comum é aumentar a quantidade de luz, para atrair o ch'i. Pode-se fazer isso por meio de espelhos, cristais, lustres e iluminação adicional. A luz é uma boa solução para um canto esquecido, criado por um aposento de forma irregular. Pode-se também usar objetos que reflitam a luz. Atrás da porta da frente da nossa casa, temos uma coleção de objetos de vidro e cristal, que servem para encorajar o ch'i a entrar em casa. Todo tipo de vidro atrai e reflete luz, incrementando o ch'i. Nós também deixamos acesas as luzes do *hall* de entrada, durante a maior parte do tempo, para atrair o ch'i para o que, de outra forma, seria uma entrada escura.

Os lustres são maravilhosos para atrair o ch'i e refleti-lo para o ambiente à volta deles. As áreas do Sucesso, do Casamento e do Conhecimento podem, todas elas, receber muitos benefícios com a colocação de um lustre nessas partes da casa. Um lustre colocado bem no centro da casa (setor da Sorte) também beneficia todo o lar.

Os espelhos talvez sejam o artifício do feng shui mais útil de todos. Pode-se usá-los para harmonizar simbolicamente um aposento irregular. Eles também podem enviar os shars de volta para o lugar de onde vieram. Colocados de forma espaçada, ao longo de um corredor longo e reto, eles desviam o ch'i e neutralizam os efeitos negativos do shar. Podem dar mais vida a uma área escura ou fechada da casa. Podem também refletir lindas paisagens de vistas da janela. Podem fazer aposentos pequenos parecerem duas vezes maior. Podem multiplicar a quantidade de alimentos sobre a mesa de jantar. Quanto maior o espelho, melhor. Espelhos pequenos tendem a cortar a cabeça e os pés das pessoas.

Os espelhos de oito lados, no formato de um ba-guá, são considerados extremamente poderosos e eficazes. Isso porque eles representam todas as oito direções. A sala de estar e o corredor são bons lugares para se colocar esse tipo de espelho. O ideal é que eles sejam do maior tamanho possível.

O topo da escada ou o começo dela são bons lugares para se colocar um espelho. Nessa posição, ele não deixa que o ch'i desça as escadas muito rapidamente. Outra vantagem de se colocar um espelho nesse local é que você estaria vendo um rosto amigo cada vez que subisse ou descesse as escadas. Sorria para si mesmo cada vez que passar por ali. Afinal das contas, um sorriso amigo gera um ch'i positivo.

Espelhos, como tudo o mais, são mais funcionais quando são bem cuidados. Para obter melhores resultados, assegure-se de que seus espelhos estejam sempre limpos e sem poeira.

Por sinal, panelas brilhantes, bandejas de prata e qualquer coisa que reflita a luz podem servir como espelhos, no caso do feng shui. Talvez, por alguma razão, você não queira pendurar um espelho. Um conhecido meu estava ficando incomodado por causa de um shar vindo da casa dos vizinhos em sua direção. Ele achou que, se pendurasse um espelho ba-guá para enviar o shar de volta, o vizinho também iria pendurar um, dando início a uma "guerra de espelhos". Ele resolveu o problema usando reluzentes suportes de metal num cano que descia pela parede do lado de fora da casa. Os suportes agiram como um espelho escondido, para enviar de volta o shar, e o vizinho nem notou.

Pode-se também usar música ou outros tipos de som. Os mensageiros dos ventos são muito eficazes, uma vez que não só atraem o ch'i, mas também funcionam como uma afirmação cada vez que você os ouve. Os sons agradáveis que eles emitem fazem com que você se lembre de que o ch'i está fluindo. Os mensageiros dos ventos podem ser feitos de metal, madeira ou cerâmica. Os de metal são extremamente úteis para ativar as áreas dos Filhos, da Carreira e dos Mentores no seu lar. Os mensageiros feitos de bambu são especialmente úteis nas áreas do Sucesso, da Família e da Abundância. Os mensageiros dos ventos feitos de metal não devem ser pendurados nos setores da Família ou da Prosperidade, já que essas áreas representam o elemento madeira, e o metal, é claro, corta a madeira.

Pode-se usar os mensageiros dos ventos tanto dentro quanto fora de casa. Colocados do lado de fora da porta de entrada, eles duplicarão a quantidade de ch'i que entra. Isso é especialmente útil quando a porta da frente se abre para o lado da casa que fica à sombra.

Você pode pendurar mensageiros dos ventos até mesmo nas áreas onde não circula nenhuma brisa para movimentá-los. Você mesmo pode movimentá-los, ao passar. Cada vez que fizer isso, o agradável som atrairá o ch'i e a prosperidade para o seu lar. Certa vez visitei uma casa que tinha um enorme xilofone bem na porta da frente. Cada pessoa que entrava na casa era convidada a tocar algumas notas, para criar, atrair e aumentar o ch'i.

Uns tios meus usavam o som de um grande gongo para chamar a família para as refeições. O som se espalhava pela enorme casa em que moravam, chamando a família para o jantar e atraindo o ch'i. Hoje em dia, na China, pessoas abastadas possuem antigos gongos em mostruários de vidro, para simbolizar a preservação e perpetuação da prosperidade de geração a geração. Esses gongos geralmente são guardados na sala de jantar, para simbolizar abundância de alimento.[1]

Tenho um cordão de sininhos no meu escritório. Os sons agradáveis que eles emitem fazem com que eu me sinta estimulado e feliz. Eles também me fazem pensar que o ch'i está fluindo e se espalhando pelo escritório. Sinos são uma excelente solução feng shui. Penduro os meus para aumentar o ch'i que flui no meu escritório, mas dizem que eles também são bons para a saúde dos habitantes.

Até mesmo o rádio e a televisão criam e atraem ch'i com sua luz e seu som. A voz humana também pode fazer o mesmo. Se você cantarola ou canta pela casa, você aumenta a quantidade de ch'i que tem à sua disposição. Uma criança praticando piano ou violino também atrai o ch'i. Tive de fazer com que uma amiga minha se lembrasse disso, quando ela reclamou sobre o constante ruído que seu filho fazia quando tocava bateria!

Os seres vivos atraem o ch'i. Já ficou provado que os animais domésticos ajudam a diminuir o *stress* e fazem com que pessoas idosas se sintam felizes e cheias de vida. Todos nós nos sentimos mais felizes cuidando de algo vivo, seja uma planta ou um animal. Os animais também ajudam a energia ch'i a circular. Os aquários, com peixes vivos, servem como afirmações de prosperidade e riqueza, e também atraem o ch'i. O peixe simboliza uma carreira bem-sucedida, e também cria abundante ch'i benéfico, especialmente se o aquário é oxigenado.

As plantas agem do mesmo modo que os animais. Um lar sem nenhuma planta parece insatisfatório, e tende a nos separar da natureza. As plantas nos dão as boas-vindas, e dão vida a espaços vazios. Dentro de casa, simbolizam a natureza, e fora, atraem o ch'i em direção à casa. Flores recém-cortadas também atraem o ch'i para dentro de casa. Entretanto, elas precisam ser bem cuidadas. Aos primeiros sinais de pragas, precisam ser cuidadas ou removidas. As flores artificiais servem tão bem quanto as naturais, desde que não fiquem empoeiradas ou em más condições. As flores secas criam um ch'i negativo, porque toda a água foi removida. Como elas simbolizam a morte convém evitá-las. As flores naturais têm um efeito altamente benéfico nas áreas do Casamento, da Família e dos Mentores. Plantas que têm espinhos, tais como rosas e cactos, ficam melhor fora da casa, onde simbolizam proteção. Um vaso de planta, ou uma planta pendurada, pode estimular o ch'i em qualquer parte da casa que você queira ativar.

Pode-se colocar plantas em frente a shars em potencial, tais como cantos angulosos e quinas de móveis.

O elemento água, na forma de aquários, fontes ou piscinas, atrai e estimula o ch'i. Hoje em dia, é possível encontrar pequenas fontes para ambientes internos; são decorativas e produzem o ch'i.

Estátuas ou quadros de animais podem ser soluções bem úteis. Estátuas de animais selvagens, como o leão, na parte de fora da casa, servem para proteger simbolicamente o seu lar. Estátuas pesadas representam estabilidade e coragem. Dentro de casa, é melhor ter animais um pouco mais mansos. Por exemplo, uma tartaruga de cerâmica é um enfeite bonito, e também simboliza longevidade.

Pode-se usar cores como soluções feng shui, para suprir elementos necessários em diferentes partes da casa. Usamse cores mais leves para atrair luz em certas partes da casa. Você pode utilizar qualquer cor, desde que ela lhe agrade. Por exemplo, geralmente o preto é considerado uma cor negativa. Entretanto, ele se relaciona com a água, que pode ser interpretada como dinheiro. Conseqüentemente, caso sirva aos seus propósitos, você pode usá-la. As cores que você escolher devem estar relacionadas com os elementos pessoais das pessoas que vivem na casa. Isso quer dizer, por exemplo, que o preto (relacionado com a água) seria uma péssima escolha para alguém do elemento fogo.

As flautas de bambu são excelentes soluções, especialmente para amenizar os efeitos negativos de vigas no teto. Servem também para desencorajar ladrões e atrair bons amigos. A flauta simboliza paz, tranqüilidade e contentamento. As flautas devem ser usadas aos pares. Para que sejam ainda mais eficazes, elas devem ser suspensas por uma fita vermelha, com os bocais para baixo.

Dicas do Feng Shui

87. Não pendure espelhos na frente de uma porta. Isso impede que o ch'i entre no aposento e estimula o acúmulo de ch'i negativo.

88. Mantenha os espelhos limpos. Pó e sujeira reduzem-lhes a eficácia.

89. Espelhos nunca são demais. Entretanto, no quarto use-os com moderação, bem como em qualquer outra área que precise ser tranqüila e repousante.

90. Um espelho na sala de jantar duplica simbolicamente a quantidade de alimentos à mesa. Duplica também a sensação de bem-estar e alegria que você e seus convidados sentem nesse aposento.

91. Um espelho grande, de forma octogonal, representa todas as oito direções, e é uma poderosa fonte de energia. Coloque-o na sala de estar ou no corredor.

92. Um espelho no topo da escada, ou aos pés desta, impede que o ch'i desça escada abaixo rápido demais. Também significa que você estará vendo um rosto amigo cada vez que subir ou descer a escada.

93. Use espelhos ba-guá para enviar de volta shars que venham de fora da sua propriedade.

94. Mensageiros dos ventos, sinos tibetanos e outros objetos que emitem sons agradáveis são soluções bem eficazes. São particularmente úteis para amenizar ruídos incômodos, como ar-condicionado ou refrigerador.

95. Luminárias ou abajures criam aconchegantes círculos de luz para iluminar áreas escuras, além de estimular mais ch'i a entrar em qualquer área que precise ser ativada.

96. Plantas ajudam o ch'i a circular, e também podem ser usadas para esconder um shar. Elas dão cor ao ambiente e inspiram harmonia e contentamento.

97. A água, principalmente em movimento, atrai ch'i e dinheiro. Considere a possibilidade de colocar uma pequena fonte ornamental ou um aquário na sua área da Abundância.

98. Os animais ajudam o ch'i a circular. Eles também dão amor e felicidade, o que ajuda a criar harmonia e contentamento.

Conclusão

Agora que terminou de ler este livro, você encontrará exemplos de feng shui bom e ruim aonde quer que vá. Recentemente, minha mulher e eu fomos a uma festa de casamento num hotel da região. Fiquei muito interessado ao encontrar uma fonte jorrando do lado de fora da entrada principal, e um desenho do ba-guá nos ladrilhos que conduziam à entrada principal. Dois leões de pedra estavam de guarda do lado de fora dessa entrada. Quando entramos, deparamos com um grande espelho redondo em uma moldura dourada. Todas essas coisas eram novas desde a nossa última visita. Foi apenas mais um sinal de que o feng shui está amadurecendo, e sendo aceito pelo mundo todo.

Há mais ou menos uns dez anos, um construtor amigo meu decidiu usar os princípios do feng shui em todos os seus projetos. Ele não fez isso porque acreditava no feng shui, mas só porque achava que isso talvez o ajudasse a vender mais propriedades a compradores asiáticos. Ele ficou surpreso ao descobrir que suas propriedades começaram a vender mais do que nunca a pessoas de todas as nacionalidades e raças. Isso porque os prédios que ele construía eram harmoniosos e pareciam agradáveis aos compradores em potencial. Meu amigo não é mais um cético; na última vez em que o visitei, ele estava alimentando oito peixes dourados e um preto em seu aquário. Essa combinação de peixes significa "dinheiro, dinheiro, dinheiro e proteção". A água do aquário significa dinheiro. O dourado dos peixinhos significa dinheiro. Há oito peixinhos, e, como você sabe, oito também significa dinheiro. Finalmente, o peixe preto está no aquário para proteção. Quando um peixe morre, é um sinal de que algum desastre foi evitado. Naturalmente, meu amigo substituía mais que depressa qualquer peixe morto.

Se você um dia visitasse minha mulher e eu em nossa casa, veria que nós a decoramos da forma mais confortável possível, usando idéias explicadas neste livro. Descobrimos que nossa vida melhorou, logo que começamos a fazer algumas modificações simples.

Agora é com você. Comece fazendo uma ou duas pequenas modificações no seu lar. Espere algumas semanas e veja que mudanças você pode perceber; daí faça mais algumas. Depois de algum tempo, você notará que a sua qualidade de vida está melhorando. Seus amigos comentarão sobre como a sua casa é aconchegante e amigável. Talvez eles até mencionem mudanças positivas em você e nos membros de sua família. Se pedirem uma explicação, conte a eles sobre o feng shui. Promover a harmonia e o equilíbrio na vida é algo fantástico, mas é um privilégio especial poder ajudar os amigos a fazer a mesma coisa. Você poderá dar a eles bons conselhos e dizer-lhes onde comprar livros sobre o assunto.

Nos anos 60, quando fiz contato pela primeira vez com o feng shui, era difícil encontrar alguém que soubesse algo sobre o tema. Hoje em dia, a maioria das pessoas já ouviu falar a respeito, e muitas conhecem alguma coisa sobre seus princípios básicos. Espero que você continue seus estudos a respeito deste assunto fascinante. Desejo-lhe uma vida inteira de ch'i abundante e bom feng shui.

Dicas do Feng Shui

99. Comece livrando sua casa das quinquilharias. Faça isso antes de lançar mão de qualquer solução feng shui.

100. Comece a fazer modificações aos poucos, fazendo uma pausa entre elas, para ver os efeitos que elas causam. Só então faça outra modificação.

101. Desfrute as mudanças que o feng shui traz à sua vida. À medida que você começar a caminhar rumo a uma vida cheia de contentamento e abundância, você compreenderá por que o feng shui é conhecido, muitas vezes, como "a arte da felicidade".

Apêndice 1

Elementos e Signos para os Nascidos de 1900 a 2000

Elemento	Signo	Ano
Metal	Rato	De 31 de jan. de 1900 a 18 de fev. de 1901
Metal	Boi	De 19 de fev. de 1901 a 7 de fev. de 1902
Água	Tigre	De 8 de fev. de 1902 a 28 de jan. de 1903
Água	Coelho	De 29 de jan. de 1903 a 15 de fev. de 1904
Madeira	Dragão	De 16 de fev. de 1904 a 3 de fev. de 1905
Madeira	Serpente	De 4 de fev. de 1905 a 24 de jan. de 1906
Fogo	Cavalo	De 25 de jan. de 1906 a 12 de fev. de 1907
Fogo	Carneiro	De 13 de fev. de 1907 a 1º de fev. de 1908
Terra	Macaco	De 2 de fev. de 1908 a 21 de jan. de 1909
Terra	Galo	De 22 de jan. de 1909 a 9 de fev. de 1910
Metal	Cachorro	De 10 de fev. de 1910 a 29 de jan. de 1911
Metal	Javali	De 30 de jan. de 1911 a 17 de fev. de 1912
Água	Rato	De 18 de fev. de 1912 a 5 de fev. de 1913
Água	Boi	De 6 de fev. de 1913 a 25 de jan. de 1914
Madeira	Tigre	De 26 de jan. de 1914 a 13 de fev. de 1915
Madeira	Coelho	De 14 de fev. de 1915 a 2 de fev. de 1916
Fogo	Dragão	De 3 de fev. de 1916 a 22 de jan. de 1917
Fogo	Serpente	De 23 de jan. de 1917 a 10 de fev. de 1918
Terra	Cavalo	De 11 de fev. de 1918 a 31 de jan. de 1919
Terra	Carneiro	De 1º de fev. de 1919 a 19 de fev. de 1920
Metal	Macaco	De 20 de fev. de 1920 a 7 de fev. de 1921
Metal	Galo	De 8 de fev. de 1921 a 27 de jan. de 1922
Água	Cachorro	De 28 de jan. de 1922 a 15 de fev. de 1923
Água	Javali	De 16 de fev. de 1923 a 4 de fev. de 1924
Madeira	Rato	De 5 de fev. de 1924 a 24 de jan. de 1925
Madeira	Boi	De 25 de jan. de 1925 a 12 de fev. de 1926
Fogo	Tigre	De 13 de fev. de 1926 a 1º de fev. de 1927

Fogo	Coelho	De 2 de fev. de 1927 a 22 de jan. de 1928
Terra	Dragão	De 23 de jan. de 1928 a 9 de fev. de 1929
Terra	Serpente	De 10 de fev. de 1929 a 29 de jan. de 1930
Metal	Cavalo	De 30 de jan. de 1930 a 16 de fev. de 1931
Metal	Carneiro	De 17 de fev. de 1931 a 5 de fev. de 1932
Água	Macaco	De 6 de fev. de 1932 a 25 de jan. de 1933
Água	Galo	De 26 de jan. de 1933 a 13 de fev. de 1934
Madeira	Cachorro	De 14 de fev. de 1934 a 3 de fev. de 1935
Madeira	Javali	De 4 de fev. de 1935 a 23 de jan. de 1936
Fogo	Rato	De 24 de jan. de1936 a 10 de fev. de 1937
Fogo	Boi	De 11 de fev. de 1937 a 30 de jan. de 1938
Terra	Tigre	De 31 de jan. de 1938 a 18 de fev. de 1939
Terra	Coelho	De 19 de fev. de 1939 a 7 de fev. de 1940
Metal	Dragão	De 8 de fev. de 1940 a 26 de jan. de 1941
Metal	Serpente	De 27 de jan. de 1941 a 14 de fev. de 1942
Água	Cavalo	De 15 de fev. de 1942 a 4 de fev. de 1943
Água	Carneiro	De 5 de fev. de 1943 a 24 de jan. de 1944
Madeira	Macaco	De 25 de jan. de 1944 a 12 de fev. de 1945
Madeira	Galo	De 13 de fev. de 1945 a 1º de fev. de 1946
Fogo	Cachorro	De 2 de fev. de 1946 a 21 de jan. de 1947
Fogo	Javali	De 22 de jan. de 1947 a 9 de fev. de 1948
Terra	Rato	De 10 de fev. de 1948 a 28 de jan. de 1949
Terra	Boi	De 29 de jan. de 1949 a 16 de fev. de 1950
Metal	Tigre	De 17 de fev. de 1950 a 5 de fev. de 1951
Metal	Coelho	De 6 de fev. de 1951 a 26 de jan. de 1952
Água	Dragão	De 27 de jan. de 1952 a 13 de fev. de 1953
Água	Serpente	De 14 de fev. de 1953 a 2 de fev. de 1954
Madeira	Cavalo	De 3 de fev. de 1954 a 23 de jan. de 1955
Madeira	Carneiro	De 24 de jan. de 1955 a 11 de fev. de 1956
Fogo	Macaco	De 12 de fev. de 1956 a 30 de jan. de 1957
Fogo	Galo	De 31 de jan. de 1957 a 17 de fev. de 1958
Terra	Cachorro	De 18 de fev. de 1958 a 7 de fev. de 1959
Terra	Javali	De 8 de fev. de 1959 a 27 de jan. de 1960
Metal	Rato	De 28 de jan. de 1960 a 14 de fev. de 1961
Metal	Boi	De 15 de fev. de 1961 a 4 de fev. de 1962
Água	Tigre	De 5 de fev. de 1962 a 24 de jan. de 1963
Água	Coelho	De 25 de jan. de 1963 a 12 de fev. de 1964

Madeira	Dragão	De 13 de fev. de 1964 a 1º de fev. de 1965
Madeira	Serpente	De 2 de fev. de 1965 a 20 de jan. de 1966
Fogo	Cavalo	De 21 de jan. de 1966 a 8 de fev. de 1967
Fogo	Carneiro	De 9 de fev. de 1967 a 29 de jan. de 1968
Terra	Macaco	De 30 de jan. de 1968 a 16 de fev. de 1969
Terra	Galo	De 17 de fev. de 1969 a 5 de fev. de 1970
Metal	Cachorro	De 6 de fev. de 1970 a 26 de jan. de 1971
Metal	Javali	De 27 de jan. de 1971 a 15 de jan. de 1972
Água	Rato	De 16 de jan. de 1972 a 2 de fev. de 1973
Água	Boi	De 3 de fev. de 1973 a 22 de jan. de 1974
Madeira	Tigre	De 23 de jan. de 1974 a 10 de fev. de 1975
Madeira	Coelho	De 11 de fev. de 1975 a 30 de jan. de 1976
Fogo	Dragão	De 31 de jan. de 1976 a 17 de fev. de 1977
Fogo	Serpente	De 18 de fev. de 1977 a 6 de fev. de 1978
Terra	Cavalo	De 7 de fev. de 1978 a 27 de jan. de 1979
Terra	Carneiro	De 28 de jan. de 1979 a 15 de fev. de 1980
Metal	Macaco	De 16 de fev. de 1980 a 4 de fev. de 1981
Metal	Galo	De 5 de fev. de 1981 a 24 de jan. de 1982
Água	Cachorro	De 25 de jan. de 1982 a 12 de fev. de 1983
Água	Javali	De 13 de fev. de 1983 a 1º de fev. de 1984
Madeira	Rato	De 2 de fev. de 1984 a 19 de fev. de 1985
Madeira	Boi	De 20 de fev. de 1985 a 8 de fev. de 1986
Fogo	Tigre	De 9 de fev. de 1986 a 28 de jan. de 1987
Fogo	Coelho	De 29 de jan. de 1987 a 16 de fev. de 1988
Terra	Dragão	De 17 de fev. de 1988 a 5 de fev. de 1989
Terra	Serpente	De 6 de fev. de 1989 a 26 de jan. de 1990
Metal	Cavalo	De 27 de jan. de 1990 a 14 de fev. de 1991
Metal	Carneiro	De 15 de fev. de 1991 a 3 de fev. de 1992
Água	Macaco	De 4 de fev. de 1992 a 22 de jan. de 1993
Água	Galo	De 23 de jan. de 1993 a 9 de fev. de 1994
Madeira	Cachorro	De 10 de fev. de 1994 a 30 de jan. de 1995
Madeira	Javali	De 31 de jan. de 1995 a 18 de fev. de 1996
Fogo	Rato	De 19 de fev. de 1996 a 6 de fev. de 1997
Fogo	Boi	De 7 de fev. de 1997 a 27 de jan. de 1998
Terra	Tigre	De 28 de jan. de 1998 a 15 de fev. de 1999
Terra	Coelho	De 16 de fev. de 1999 a 4 de fev. de 2000
Metal	Dragão	De 5 de fev. de 2000

Apêndice 2

Trigramas Pessoais de Acordo com o Ano de Nascimento

Chien

Homem: 1913, 1922, 1931, 1940, 1949, 1958, 1967, 1976, 1985, 1994
Mulher: 1919, 1928, 1937, 1946, 1955, 1964, 1973, 1982, 1991

Tui

Homem: 1912, 1921, 1930, 1939, 1948, 1957, 1966, 1975, 1984, 1993
Mulher: 1911, 1920, 1929, 1938, 1947, 1956, 1965, 1974, 1983, 1992

Li

Homem: 1910, 1919, 1928, 1937, 1946, 1955, 1964, 1973, 1982, 1991
Mulher: 1913, 1922, 1931, 1940, 1949, 1958, 1967, 1976, 1985, 1994

Chen

Homem: 1916, 1925, 1934, 1943, 1952, 1961, 1970, 1979, 1988, 1997
Mulher: 1916, 1925, 1934, 1943, 1952, 1961, 1970, 1979, 1988, 1997

Sun

Homem: 1915, 1924, 1933, 1942, 1951, 1960, 1969, 1978, 1987, 1996
Mulher: 1917, 1926, 1935, 1944, 1953, 1962, 1971, 1980, 1989, 1998

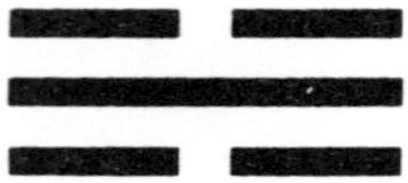

K'an

Homem: 1918, 1927, 1936, 1945, 1954, 1963, 1972, 1981, 1990, 1999

Mulher: 1914, 1923, 1932, 1941, 1950, 1959, 1968, 1977, 1986, 1995

Ken

Homem: 1911, 1920, 1929, 1938, 1947, 1956, 1965, 1974, 1983, 1992

Mulher: 1918, 1921, 1927, 1930, 1936, 1939, 1945, 1948, 1954, 1957, 1963, 1966, 1972, 1975, 1981, 1984, 1990, 1993, 1999

K'un

Homem: 1914, 1917, 1923, 1926, 1932, 1935, 1941, 1944, 1950, 1953, 1959, 1962, 1968, 1971, 1977, 1980, 1986, 1989, 1995, 1998

Mulher: 1915, 1924, 1933, 1942, 1951, 1960, 1969, 1978, 1987, 1996

Notas

Introdução

1. Mestre Lam Kam Chuen, *Feng Shui Handbook* (Londres: Gaia Books Limited, 1996. Nova York: Henry Holt e Cia., 1996), 60.

Capítulo 1

1. Pode-se encontrar uma grande coleção de opostos yin e yang em *The Key to it All. Book One: The Eastern Mysteries*, de David Allen Hulse (St. Paul: Llewellyn Publications, 1993), 350-351.

Capítulo 2

1. O *I Ching* pode ser considerado o livro mais antigo do mundo. O conceito de yin e yang data de uns cinco mil anos atrás. O yin era relacionado com uma linha partida, e o yang com uma linha reta. Há quatro combinações possíveis das mesmas. Colocando mais uma linha, foi possível dobrar essa quantidade e criar oito trigramas. Esses trigramas são os que usamos no feng shui. No *I Ching*, dois trigramas estão colocados um em cima do outro, criando 64 hexagramas.

Capítulo 9

1. Faber Birren, *Color in Your World* (edição revisada Collier Books, Nova York, 1978. Originalmente publicado por Macmillan Publishing Co., Inc., Nova York, 1962), 10.
2. Albert Low, *Feng Shui: The Way to Harmony* (Malásia: Pelanduk Publications, 1993), 67.

Capítulo 10

1. Richard Webster, *Feng Shui for Beginners,* 77.
2. "Como Evitar a Má Sorte", artigo publicado no *Miami Herald*, Miami, 27 de junho de 1997.
3. Para obter mais informação a respeito dos significados dos números, veja *Chinese Numerology: The Way to Prosperity and Fulfillment*, de Richard Webster (St. Paul: Llewellyn Publications, 1998) e *Talisman Magic*, de Richard Webster (St. Paul: Llewellyn Publications, 1995).

Capítulo 11

1. Lillian Too, *Feng Shui* (Malásia: Konsep Lagenda Sdn Bhd., 1993), 159.

Glossário

Ba-guá – Pode-se, com freqüência, ver o ba-guá suspenso sobre a entrada de casas chinesas, como símbolo de proteção. Ele tem forma octogonal, e geralmente há no seu centro ou um símbolo yin-yang ou um espelho. Em torno disso, estão os oito trigramas do I Ching.

Ch'i – O ch'i é a energia vital universal que se encontra em cada coisa viva. No feng shui, referimo-nos a ele como sendo "o sopro do dragão". Ele é estimulado a entrar no lar, para propiciar saúde, felicidade e prosperidade aos moradores.

Cinco Elementos – Os antigos chineses acreditavam que tudo foi criado a partir de cinco elementos básicos: madeira, fogo, terra, metal e água. Cada elemento tem suas próprias características; e suas diversas combinações têm um papel muito importante no feng shui. A astrologia chinesa também se utiliza dos cinco elementos, e acredita que todos nós contemos a maioria deles, ou mesmo todos, em nossa constituição.

Escola da Bússola – Há duas escolas principais no feng shui. A Escola da Bússola se utiliza da data do nascimento da pessoa e de uma bússola para determinar os melhores lugares e casas para essas pessoas morarem.

Escola da Forma – A Escola da Forma é a forma original do feng shui. Ela analisa a configuração da paisagem e avalia a quantidade e a qualidade de energia ch'i do local.

Feng Shui – Feng shui significa, literalmente, "vento e água". É a arte de viver em harmonia com a terra. Se fizermos isso, viveremos uma vida feliz, contente e abundante. O feng shui foi praticado no Oriente durante cinco mil anos. Agora está se difundindo pelo mundo todo e está mais popular do que nunca.

Quadrado Mágico – O quadrado mágico vem a ser uma série de números dispostos em grade, na qual todas as fileiras horizontais, verticais e diagonais, somadas, dão o mesmo resultado. Foi o quadrado mágico encontrado nas marcas do casco de uma tartaruga que marcou o nascimento do feng shui, do I Ching, da Astrologia e Numerologia chinesas.

Shars – Muitas vezes conhecidos como "flechas envenenadas", os shars são energias negativas que se movimentam em linha reta. Um corredor longo e reto dentro de uma casa seria um shar, assim como um ângulo criado pelo canto de uma casa vizinha apontando diretamente para a sua. Existem soluções para quase todos os shars possíveis.

Soluções – Soluções ou curas são os diferentes métodos utilizados no feng shui para eliminar os efeitos dos shars ou os desequilíbrios nos cinco elementos. Uma cerca ou muro, utilizados para bloquear um shar causado por uma rua que converge diretamente para sua porta de entrada, seria uma solução.

Trigramas – Existem oito combinações de linhas retas e partidas, que se pode formar das três linhas. As linhas retas são conhecidas como linhas yang, e representam a energia masculina. As linhas partidas são as linhas yin, e representam a energia feminina. Os oito trigramas que se formam desse modo representam as oito direções da bússola, e descrevem os tipos de casa que estão voltadas para cada uma dessas direções.

Yin e Yang – Yin e yang representam os opostos na filosofia taoísta. Exemplos disso seriam frente e costas, noite e dia, macho e fêmea. Yang é masculino e yin é feminino. Um não pode existir sem o outro. Originalmente, yin e yang se referiam aos dois lados de uma montanha. Yin representava o lado norte, imerso nas sombras, e yang representava o lado sul, ensolarado.

Sobre o Autor

Richard Webster nasceu na Nova Zelândia em 1946 e reside no seu país de origem até hoje. Ele viaja pelo mundo inteiro todos os anos, fazendo seminários e dando cursos sobre temas psíquicos. Richard já escreveu muitos livros, a maioria sobre temas psíquicos, e também escreve para colunas mensais em várias revistas.

Richard é casado e tem três filhos. Sua família sempre o apoiou em seu trabalho, embora o filho mais velho, depois de acompanhar de perto a carreira do pai, tenha decidido estudar contabilidade.

Para Escrever para o Autor

Se você quiser entrar em contato com Richard Webster ou gostaria de obter informações mais detalhadas sobre este livro, por favor mande sua carta aos cuidados da editora Llewellyn Worldwide e nós a encaminharemos ao autor. Tanto Richard Webster quanto o editor gostariam de ouvir o que você tem a dizer. A Llewellyn Worldwide não pode garantir que todas as cartas dirigidas ao autor serão respondidas, mas todas certamente serão enviadas. Por favor, escreva para:

Richard Webster
c/o Llewellyn Worldwide
P.O. Box 64383, Dept. K809-5
St. Paul, MN 55164-0383, U.S.A.

Favor acrescentar um envelope selado e endereçado para resposta ou um dólar para cobrir as despesas. Caso você não more nos Estados Unidos, envie um cupom postal internacional para resposta.

Bibliografia

Chuen, Mestre Lam Kam. *Feng Shui Handbook.* Londres: Gaia Books Limited, 1996, e Nova York: Henry Holt e Cia., 1996.

Lagatree, Karen M. *Feng Shui: Arranging Your Home to Change Your Life.* Nova York: Villard Books, 1996.

Lin, Jami. *Contemporary Earth Design: A Feng Shui Anthology.* Miami: Earth Design Incorporated, 1997.

Rossbach, Sarah. *Feng Shui: The Chinese Art of Placement.* Nova York: E.P. Dutton, 1983.

Rossbach, Sarah. *Interior Design with Feng Shui.* Nova York: E.P. Dutton, 1987.

Simons, T. Raphael. *Feng Shui Step by Step.* Nova York: Crown Trade Paperbacks, 1996.

Thompson, Angel. *Feng Shui: How to Achieve the Most Harmonious Arrangement of Your Home and Office.* Nova York: St. Martin's Griffin, 1996.

Too, Lillian. *Feng Shui.* Malásia: Konsep Lagenda Sdn Bhd., 1993.

Webster, Richard. *Feng Shui for Beginners.* St. Paul, MN: Llewellyn Publications, 1997.

Wong, Eva. *Feng-Shui: The Ancient Wisdom of Harmonious Living for Modern Times.* Boston: Shambhala Publications, Inc., 1996.